KB043976

어느 날, 순례자가 되다

까미노 프랑세스

Camino Francés

어느 날, 순례자가 되다

까미노 프랑세스
Camino Francés

글·사진 김영미

- 까미노 프랑세스Camino Francés는 산띠아고 데 꼼뽀스뗄라로 가는 다양한 루트 중, 프랑스의 남부 작은 마을 생장드 삐에 드 포흐뜨에서 시작해 산띠아고 데 꼼뽀스뗄라의 대성당까지 가는 길을 말한다.

- 까미노El Camino는 스페인 순례자길을 뜻한다. 까미노는 스페인어로 '길'이라는 명사이지만, '순례자길'을 뜻하는 말이기도 하다. 이 책에서는 까미노 데 산띠아고 데 꼼뽀스뗄라의 순례자길을 '까미노'라는 스페인어로 통일했다. 까미노는 또한 '순례'의 의미를 포함한다.

당신을 만날 수 있게 길이 생겨나기를
바람은 당신의 등 뒤에서 불어오기를
햇빛은 당신의 얼굴을 따스하게 비춰 주기를
비는 당신이 있는 곳에 부드럽게 내리기를
그리고 우리가 다시 만날 때까지
온유하고 사랑스러운 신의 손이 당신의 안전을 지켜 주기를

Que la tierra se vaya haciendo camino ante tus pasos.
Que el viento sople siempre a tus espaldas.
Que el sol brille cálido sobre tu cara.
Que la lluvia caiga suavemente sobre tus campos
y hasta que volvamos a encontrarnos que
Dios te guarde en la palma de sus manos.

- 아이리쉬 축송 Bendición irlandesa 중에서

| 차례 |

BUEN CAMINO

BUEN CAMINO

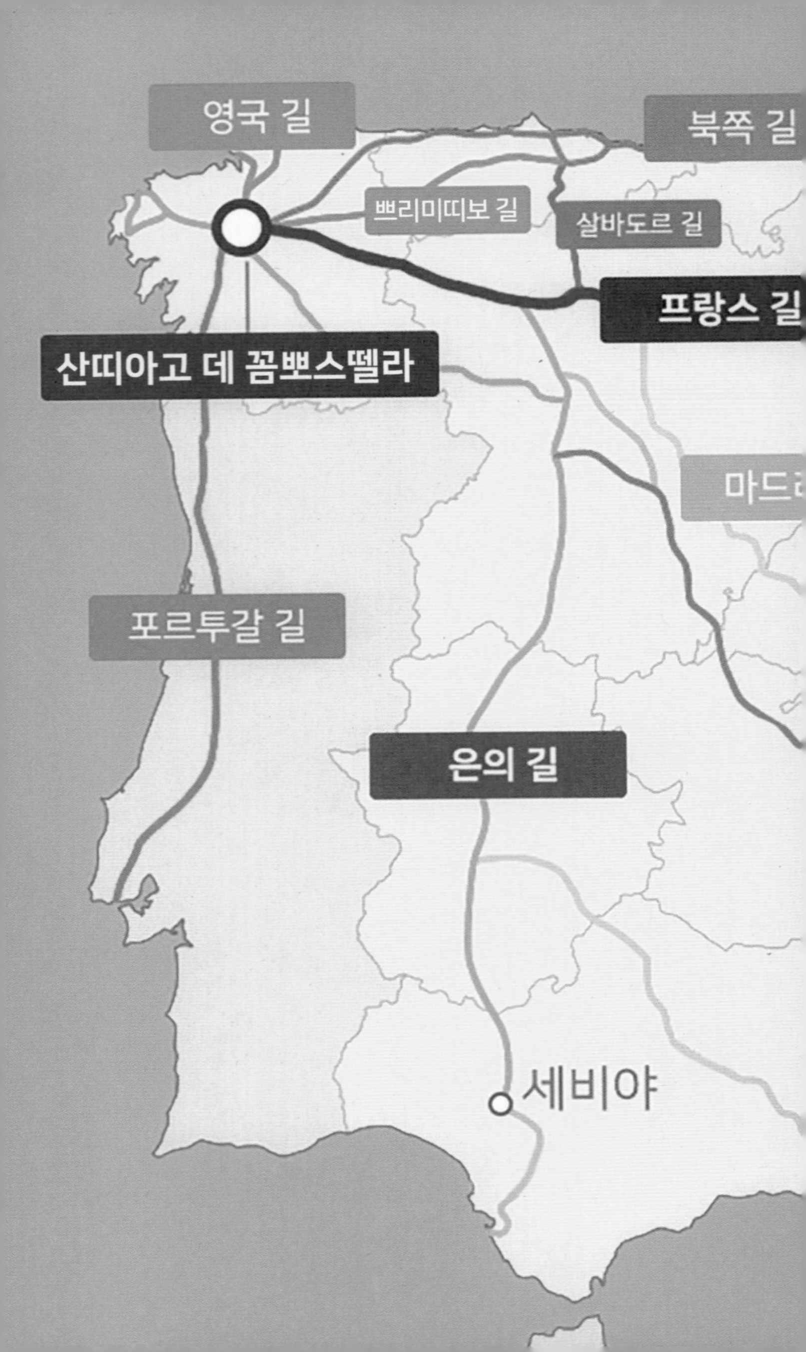

영국 길
북쪽 길
쁘리미띠보 길
살바도르 길
프랑스 길
산띠아고 데 꼼뽀스뗄라
포르투갈 길
은의 길
세비야

산띠아고 데 꼼뽀스뗄라로 가는 다양한 루트들

마침내, 바욘Bayonne으로 가다

드디어 스페인의 산띠아고까지 걸어가는 까미노 여정을 시작한다.

한국에서 출발해 파리에 도착했다. 파리에는 명진 언니가 살고 있다. 명진 언니 집에서 며칠 묵으며 우선 시차적응부터 하고 까미노를 시작하기로 했다.

명진 언니가 아침 일찍 차와 커피를 끓이며 빵을 구워내고 있다. 늘 고마운 명진 언니. 언니는 내가 30대 초반에 서울에서의 회사 생활을 그만두고 1년간 유럽여행을 감행했을 때, 파리에서 만난 대학 선배다. 정작 학교 다닐 때는 일면식도 없었는데, 경제학과 다른 선배를 통해 파리에 명진 언니가 있으니 만나보라고 해서 알게 되었다. 그때도 언니는 처음 만난 가난한 배낭여행자를, 단지 같은 학교 후배라는 이유만으로 먹여주고 재워주기까지 했다.

파리는 내가 태어나서 처음 장시간 비행기를 타고 한국 밖으로 여행했던 곳이다. 그때는 그냥 내가 그 공간에 있는 자체가 감동이었다. 미술책이나 교과서에서만 보던 그림들을 직접 눈으로 볼 수 있는 것이 너무 좋았다. 글에서 배운 프랑스어가 사방에서 흩날리며 들려오는 것도 좋았다.

다시 찾은 파리는 익숙했다. 익숙함은 처음의 설렘과 감동을 덮는다. 이번 여행으로 내 마음의 삭막함이 뜨거운 무엇으로 변화되기를 기대했다. 아니면 어떤 소소한 마음의 어려움들을 이겨내는 강한 힘이 생겨나길 바랐다. 까미노를 시작하기 위해 파리에 도착한 나는 오랜만에 명진 언니와 재회했다. 언니는 파리 13구의 나무로 된 계단이 있는 아기자기한 집에서 이사해 파리 북쪽의 넓은 아파트에서 지내고 있었다. 명진 언니는 걸어서 800km를 여행한다는 내가 걱정되는지 언제든 힘들면 파리로 돌아오라고 했다. 힘들면 돌아오라니, 내 부모 형제도 저렇게 따스한 말은 해주지 않았는데....... 늘 고마운 사람이다.

파리의 몽빠르나스 역에서 바욘Bayonne으로 향하는 기차에 올랐다. 안내 방송에서 출발을 알린다. 창밖으로 헤어짐을 아쉬워하며 진하게 키스하는 어린 커플이 보였다. 저러고 떠나면 애틋한 연인의 온기가 얼마나 그리워질까?

오전 8시 29분, 기차가 출발한다.

늦가을의 따뜻한 아침 햇살 아래 아지랑이가 피어오르는 프랑스 중부의 들판은 마음을 포근하게 해준다. 듬성듬성 서 있는 가지가 넓은 나무와 평지를 노랗게 물들인 밀밭이 아름다웠다. 기차의 스낵코너에서 에스프레소 한 잔을 마셨다. 오전 11시 30분, 안내 방송이 보르도에 도착했음을 알린다. 프랑스의 보르도는 포도주로 유명하다. 7년 전 11개월의 유럽여행을 마치고 한국으로 돌아가는 비행기에서 만난 프랑스 할머니가 "뚜주흐 보르도Toujour Bordeaux!", 항상 보르도를 마시라고 했는데 그 맛난 와인의 보르도를 지금 지나고 있다니!
보르도 지역은 꽤 커서인지 사람들이 많이 내렸다. 언젠가는 들러서 와인도 마시고 스페인어로 '벤디미아Vendimia'라고 하는, 와인을 만들기 위해 수확한 포도를 큰 통에 넣고 밟는 것도 해보고 싶다. 전통적으로 여성들이 맨발로 밟아 포도즙을 만든다고 한다. 생각만 해도 신나고 재미있을 것 같다.

오후 1시 35분, 바욘에 도착했다. 프랑스 남부 바스크 지방의 아름다운 도시 바욘! 기차역에서 바욘 구시가지로 가기 위해 큰 강을 가로지르는 다리를 건너 오래된 성당에 들어섰다. 문을 열고 들어간 성당 내부에는 촛불이 켜져 있었다. 알 수 없는 경건함이 온몸으로 느껴졌다. 성당 입구에는 성당에 대한 설명이 있었다. 바욘의 성모마리아 성당Cathédrale Sainte-Marie de Bayonne은 원래 고딕 양식이었는데 1258~1450년 이후 로마네스크 양식으로 변모했다가 불에 타서 파괴되고 두 개의 큰 기둥이 19세기에 추가되었다고 한다. 유네스코 지정 문화유산이라는 설명도 덧붙어 있다. 묘한 감정을 추스르며 중세시대로 돌아간 것 같은 느낌으로 회랑을 거닐었다. 마치 중세 수도사들이 무리 지어 등장할 것만 같은 공간이다.

이후에도 바욘의 아름다운 골목을 걷다가 여행안내 책자에 구경할 만한 유적지로 표시된 클로이스터Cloister와 샤또 뷰Chateau Vieux를 찾느라 이 아름다운 성당을 세 번이나 다시 들르게 되었는데 성당은 계속 볼 때마다 좋았다. 길을 찾는 중간에 빵 냄새가 너무 좋아 빵집으로 들어갔다. 거기서 오리고기를 저며 넣은 바게트 샌드위치와 크루아상 그리고 아몬드를 얹은 머랭을 사 들고 나왔다. 양손에 먹을 것이 있으니 갑자기 부자가 된 것 같았다. 그렇게 빵을 사서 돌아 나오니 또 성당이 보였다. 성당을 찾는 것은 오래된 여행 습관 중의 하나다. 걷다가 다리가 아플 때 쉴 만한 곳으로는 성당이 적격이다. 고요하고 앉아서 쉴 의자가 있으며, 오래된 예술 작품들을 보며 생각하기 좋은 장소가 바로 성당이다. 시내에서 떨어진 바욘 기차역 앞에 잡은 숙소로 돌아가면 다시 또 이 멋진 성당에 들르기 어려울 듯해서 아쉬운 마음에 다시 성당 안으로 들어갔다.

성당의 고요하고 평온한 분위기 속에 있으니 이상하게 다양한 감정이 올라왔다. 내 안의 속상한 감정을 잊기 위해 나는 얼마나 많은 것들에게 망각의 그늘을 씌워왔던가. 모든 감정에 무감하도록 나 자신을 억눌렀던 기억들이 몰려왔다. 눈물이 흘렀다. 그런 감정들을 받아들이려고 하지 않은 건 상처받은 것을 인정하기 싫어서였다. 나는 사랑받고 싶어 하던 존재들을 잃고 있었다. 형제들의 오래도록 반복되는 물리적 폭력은 나를 관계에 대한 무기력함 속으로 밀어 넣었다. 상처받은 나 자신은 그냥 잊으라고, 모든 감정에 대한 무감각으로 나 자신을 구겨 넣고 또 넣었다. 그래야 살 수 있었다. 생존을 위한 망각. 그 봉인이 풀린 듯 눈물이 쏟아져 나왔다. 그래서 기도를 했다. 이 순례를 무사히 해낼 수 있도록 마음속으로 기도했다. 나 자신의 상처를 들여다보고 인정하는 것, 있었던 일을 없던 것으로 부정하지 않는 것이 나에게 필요하다. 직시하지 않으면 그 상처를 넘어서지 못한다는 것을 안다. 지구 반대편을 돌고 돌아 미친 듯이 세상을 떠돌아 보아도 풀리지 않는 마음의 슬픔을 넘어서게 해달라고 기도했다.

바욘 사람들은 매우 친절했다. 지역의 인포메이션 센터에서 숙소를 소개해줬다. 유스호스텔은 비수기라 이용할 수 없어서 그나마 저렴한 숙소를 알아봐주고 예약도 잡아주었다. 그래서 난 바욘 역 앞의 몬떼 까를로Monte Carlo라는 호텔에 머물렀다. TV, 와이파이, 개인 세면대, 공동 화장실을 사용할 수 있는 5번 방을 받았다. 1층에 있는 레스토랑에서 맛있는 커피도 마셨다. 내일은 오전 11시경에 출발하는 기차를 타야 대망의 까미노를 시작하는 생장 드 피에 드 뽀흐트St. Jean de Pied de Port에 도착할 수 있다.

바욘 대성당 내부_순례자들에게 꼼뽀스뗄라를 발급해준다

바욘 대성당

생장 드 피에 드 뽀흐트의 거리

생장 드 피에 드 뽀흐트St. Jean de Pied de Port
- 프랑스길을 위한 순례자 사무소

아침 7시 반에 일어나 샤워를 하고 바욘 성모마리아 성당에 가서 미사를 보고 성체[1]를 받아먹었다. 나중에 안 사실이지만 성체는 세례를 받은 가톨릭 신자만 받아먹을 수 있다는데, 난 그날 사람들이 매번 미사 말미에 받아먹는 그것의 궁금증에 그만 가톨릭 신자도 아니면서 성체를 받아먹고 만 것이다. 미사 마지막에는 사람들이 악수를 하며 인사를 나눴다. 모르는 사람에게 평화를 빈다니 감동이었다. 이것도 나중에 안 사실이지만 "평화를 빕니다."라고 이야기하며 교인들과 인사를 나누는 것이 전 세계 성당에 공통으로 있는 미사의 한 의식이었다.

---

1) 일반적으로, 순수한 밀을 재료로 누룩을 넣지 않고 둥그렇게 만든 빵을 말한다. 초장기 교회에서는 신자들 집에서 음식으로 사용하던 빵을 가져왔다고 전해진다.

미사 참석을 마치고 짐을 가지러 숙소로 돌아오는 길에는 생 에스피릿St. Esprit 성당에서 오르간 연주를 들었다. 안내서에 따르면 로마네스크와 고딕 양식이 어우러진 이 성당은 까미노를 가는 순례자가 잠깐 들르는 곳이란다. 제대로 들렀다는 생각이 들었다. 여기서 나는 내 첫 까미노를 무사히 완성할 수 있기를 기도했다.

성당을 나와 껑보 레 뱅Cambo-les-Bains이라는 곳을 지나갔다. 가을 햇살 속에 빛나는 짙은 갈색 지붕의 하얀 건물들이 아주 멋졌다. 숙소에서 짐을 싼 뒤 1층 레스토랑에서 에스프레소를 마시며 명진 언니와 카톡으로 통화를 했다. 바욘 역Gare de Bayonne에서 생장 드 피에 드 뽀흐트 St. Jean de Pied de Port(이하 생장)를 향해 오전 11시 41분에 출발했다. 창밖 경치가 너무 아름답다. 기찻길 옆으로는 바닥이 훤히 비치는 강이 계속 지나갔다. 동화 속에서나 나올 법한 풍경이 차창 밖으로 펼쳐졌다.

마침내, 까미노의 출발점인 생장에 도착했다. 큰 배낭을 둘러메고 역에 도착하니 두 프랑스 여인이 '순례자Saint

Jacques[2]라며 수근대더니, 나에게 손을 흔들며 "봉 브와야지 Bon voyage[3]!"라고 큰 소리로 인사를 건넨다. 순례자를 본 그들의 목소리가 내 마음만큼이나 들떠 있었다. 아직도 그 느낌이 생생하다. 아직 시작도 안 했는데 이런 응원이라니.......

역에서 내리자마자 곧바로 언덕길 위에 있는 순례자 사무실로 갔다. 1시 반에 도착했는데 사무실은 2시에 연단다. 프랑스인 2명, 까딸루냐Cataluña[4] 사람 1명, 이렇게 남자 3명과 사무실 앞에서 기다리고 있는데 시간이 지나니 안에서 문이 열리고 상냥한 프랑스 여인이 들어오라고 한다.
금속아티스트라고 소개한 순례자 사무소의 여인은 영어로 까미노에 대한 설명을 해주었다. 첫날부터 겪게 될 피레네산맥의 높낮이가 그려져 있는 안내지와 프랑스길에 있는 숙소 알베르게Albergue[5]의 리스트도 주며 친절하게

---

2) 생 자끄Saint Jacques - 프랑스어로 성인 야고보를 뜻하며 순례자라는 뜻도 있다.
3) 프랑스어로 즐거운 여행이 되기를 바란다는 뜻이다.
4) 스페인 바르셀로나 지역. 스페인어를 쓰지만 까딸란어를 쓴다.
5) 스페인어로 숙소를 뜻한다. 알베르게 데 뻬레그리노스Alber

설명해주었다. 그리고 마침내 나에게 순례자의 여권이라 불리는 크레덴시알Credencial을 주었다. 첫 번째 순례자 도장도 예쁘게 찍어서 말이다. 도장을 찍어주던 탁자 옆에는 순례자의 상징인 가리비 껍데기 판매대가 있었다. 나도 순례자임을 알리기 위해 하나 구매해서 잘 보이게 가방에 달았다. 이 가리비는 800km의 여정을 나와 함께할 것이다.

순례자 사무실 옆에 있는 알베르게에 도착해 짐을 풀고 동네를 돌아봤다. 스페인과의 국경에 가까운 조그마한 마을답게 생장은 매우 아기자기하다.

숙소에서 신을 실내화가 필요해 중국영화에서 본 듯한 끝이 뭉툭한 남색 실내화를 동네 가게에서 5유로 주고 샀다. 동네 관광 안내소에 물어서 알게 된 까르푸 마트에서는 내일 필요한 음식 장을 봤다.

숙소에 돌아오니 호스피탈레로인 할머니가 어디 갔었냐며 기다렸다는 듯 말씀하셨다. 나에게 차와 쿠키를 내어 주

---

gue de Peregrinos라고 하면 순례자들의 숙소라는 뜻이다. 프랑스어로는 숙소를 오베르쥬Auberge라고 한다.

신다. 귀엽다며 내 볼도 만졌다. 나는 속으로 '할매, 저 나이 많아요.'라고 이야기하고 싶었지만, 귀엽게 봐주셔서 감사할 따름이었다. 지금 생각하니 멀리 동양에서 온 여인이 기나긴 길을 간다 하니 기특하고 염려되고 그런 마음이 아니었을까 한다.

조금 있으니 금발의 짧은 머리를 하고 하늘색 등산 재킷을 입은 네덜란드인 안느 마리가 숙소에 도착했다. 그녀는 네덜란드에서 출발하여 프랑스 전역을 다 통과해 3달째 까미노를 걷고 있다고 했다. 세상에! 1,700km 이상을 벌써 걸었다고? 만난 지 몇 분 되지도 않은 안느는 나에게 중요한 정보를 주었다. 내일의 목적지인 오리송Orisson에 있는 알베르게는 비수기라 문을 닫았단다. 그러고는 생장에서 5km 떨어진 온또Honto에 있는 숙소를 예약해주었다. 이렇게 고마울 데가! 그녀가 아니었으면, 까미노 시작 첫날에 문이 닫힌 목적지에서 얼마나 난처했을까? 게다가 나는 온또에 숙소가 있는지도 몰랐다. 직접 예약까지 해주다니 정말 고마웠다.

그녀는 까미노에 대한 안내 책자를 들고 있었는데, 가면 있겠지 하는 생각으로 아무런 안내 책자도 준비하지 않은 나와 비교해 정말 계획이 철저했다. 그런데! 그날 저녁에 한국인 2명이 내가 있는 숙소에 도착하더니 한국어로 된 까미노 안내 책자를 나에게 건넨다. "신과 함께 가라 - 산띠아고 가는 길"[6]이라는 책이었다. 책이 좀 묵직했다. 이 책의 무게 때문에 누군가가 그냥 두고 간 걸까 하는 생각이 들 정도로 무거웠다. 하지만 정말 신기하게도 '안내책이 있으면 좋겠다.' 하고 생각했는데 "자, 가지렴." 하며 나에게 덜컥 안내 책자를 주는 것이다. 이후 이 책은 내 까미노의 필수품이 되었다. 내가 가보지 않은 까미노의 모든 곳을 안내해주었다. 까미노에 대한 역사나 그날 펼쳐질 길의 고도 등도 몇몇 지역 빼고는 매우 잘 정리된 책이었다. 한 가지 치명적인 단점은 좀 무겁다는 것. 그래도 마냥 고마운 감정이 들었다. 좀 무겁지만 유익하니 이 귀한 안내서를 두고 간 알 수 없는 이에게 잘 보겠다고 속으로 인사했다.

---

6) "신과 함께 가라 - 산띠아고 가는 길", 니키앤프랜, 변정식 지음

생장의 순례자 숙소는 무지 깨끗했다. 할머니가 계속 청소를 하고 오후 6시 이전에는 어둑어둑해도 불을 안 켰다. 내가 만난 유럽인들 중 나이 많으신 분들은 절약과 검소함이 몸에 배어 있다. 세계대전을 경험한 사람들이 그러했는데, 세계대전에서 남편을 잃은 독일 노부인도 집이 아무리 넓고 가진 게 많아도 작은 거 하나 허투루 소비하지 않았던 기억이 있다.

주변 언덕을 둘러보고 숙소에 다시 돌아오니 180cm가 훌쩍 넘는 키에 은회색 곱슬머리를 한 프랑스 순례자가 도착해서 허겁지겁 허기를 채우고 있었다. 알베르게 할머니가 식사를 미리 준비해준 것을 보니 아마 예약하면서 식사를 주문한 듯했다. 식사를 마친 그는 초보의 기운을 마냥 발산하는 나를 보더니 갑자기 내 신발을 보여 달란다. 그러고는 신발이며, 내 가방 무게며, 내가 가진 장비를 하나하나 체크해줬다. 처음엔 '왜 내 신발을 보자 그러나' 했는데, 초보 순례자들의 난감한 부분을 미리 알려주려는 고마운 마음이었다. 그는 전문 순례자답게 하루 만에 피레네산을 다 지나 더 걸어갔는지 다음 날 론세스바예스

Roncesvalles에서도 다시 만날 수는 없었다.

몇 년이 지나도 이렇게 기억에 남는 사람이 고작 몇 시간의 인연이라니……. 까미노에서 만나는 사람들 대부분이 그렇다. 정말 순식간에 내 인생에 들어왔다가 영원히 기억에 남을 거면서 더 이상 만날 수 없는 사람들의 인연.

생장의 순례자 사무실 옆에 붙은 안내판

1. 생장 드 피에 드 뽀흐트 > 온또Honto : 5km

오늘은 처음 까미노를 시작한 날이다.

원래 가려고 했던 오리송의 숙소가 겨울에는 문을 닫아서 그 전 숙소인 온또에 머물기로 했다. 느지막이 출발해 순례자들이면 누구나 다 지나야 하는 생장의 다리를 건너 골목을 지나니 슬슬 오르막이 시작되었다. 피레네산맥의 초입이 시작되고 있었다.

프랑스 작은 시골의 농장 길은 정말 예뻤다. 온또로 가는 길은 생장 마을이 다 내려다보이는 언덕으로 이어져 넓은 들판에서 양들이 종을 울리며 풀을 뜯는 멋진 풍경을 선사했다. 내가 프랑스 피레네의 경치를 보고 서 있다니!

노란색 바탕에 파란색으로 라 포스트La Poste(프랑스 우체국)라고 적힌 우체국 차가 내가 가는 곳마다 한발 먼저

서 있었다. 마침내 얼굴을 본 우편배달부가 손을 흔들어 주었다. 고마웠다.

2시간도 안 돼서 온또에 도착했다. 숙소에서 빨래와 샤워를 끝내니 1시간은 더 지난 듯하다. 오후 4시가 훌쩍 넘어서야 네덜란드인 안나 마리가 숙소에 도착했는데 미용실을 들렀는지 머리를 예쁘장하게 자르고 왔다. 그녀도 피레네산맥이 시작되는 마을 오르막길 덕에 살짝 땀을 흘린 듯했다.

내일은 프랑스와 스페인의 국경을 지나 스페인 영토인 론세스바예스까지 간다. 거리가 20km 정도 되는데 산을 넘는 게 관건이다. 오늘은 워밍업으로 매우 짧게 걸었지만, 오르막은 좀 힘들었다. 하아...... 문제는 가방이 너무 무거웠다. 평소에 맨몸으로도 등산을 잘 하지 않는데 10kg이나 되는 가방을 메고 산행이라니! 하지만 잘 오를 것이다. 아니, 잘 올라야 한다. 천천히 쉬지 않고 꾸준히 걸으면 되는 거다. 그렇게 속으로 계속 주문을 걸었다.

온또의 숙소에서는 내가 평생 잊을 수 없는 식사를 경험했다. 와인과 치즈를 곁들이며 2시간이 넘게 이루어지는 전통 프랑스 식사였다.

와인 + 야채수프
(주인장이 직접 기른 피레네의 기운을 담은 신선한 야채)
토마토와 계란과 야채를 섞은 오믈렛 C'est bon!!
초리소Chorizo(소시지)와 채소샐러드, 올리브가 곁들여진 파스타
피레네 스타일로 치즈에 달콤한 마멀레이드를 곁들어 먹는 후식
사과 타르트 - 따르뜨 따땡 Tarte Tatin
(이거 이름 물어봤다가 한참을 따르따따 하고 주거니 받거니 하고 물어보고 발음 체크하고, 웃고…… 또 따르 따땡 하고 또 웃었다. 끝까지 발음을 제대로 하지 못했다.)

이 멋진 만찬은 프랑스인 커플과 리옹Lyon 출신의 프랑스인 중년 남성과 네덜란드인 안느 마리, 나, 그리고 주인아주머니가 함께했다.
주인아주머니는 영어를 좀 하시긴 했는데 내가 영 마땅찮았는지 나의 자잘한 질문에도 너의 영어 발음은 못 알아듣겠다며 답하길 꺼렸다. 하지만 이렇게 맛난 음식을 만드는 사람이 그리 차별적인 사람은 아닐 거라며 기분 나쁜 생각을 흘려 버렸다.

2시간 동안의 풍성한 프랑스식 저녁 식사는 길게 여운을 남기며 다음 날 산을 훌쩍 넘어 스페인으로 입성해야 하는 일행들을 기분 좋은 잠자리로 안내했다.

피레네산에서 만난 말

2. 온또 > 론세스바예스Roncesvalles : 21km

아침에 숙소에서 식사하고 나오는 길에 등산용 막대로 쓸 나뭇가지를 주웠다. 나중에 생각하니 그 무심하고 사소한 행동을 한 것이 얼마나 다행인지....... 그 나뭇가지가 없었으면 산을 걸어 올라가고 내려가기가 정말 힘들었을 거다. 드디어 태어나서 처음으로 피레네산을 오르기 시작했다.

해발 고도 1,000m가 넘는 오르막길을 천천히 올랐다. 피레네산맥이라고 해서 경사가 심하고 그럴 줄 알았는데 대관령 같은 완만한 언덕길이 쭉 이어졌다. 이에 비하면 한국의 산은 얼마나 험하고 다채로운 모양새인지 새삼 생각하게 되었다. 언덕 위로 올라갈수록 바람이 세차게 불었다. 이 바람은 당최 얼굴을 들 수가 없을 정도로 몸을 휘청거리게 했다. 점심으로 먹을 샌드위치를 꺼낼 수도 없을 만큼 바람이 불었지만, 언덕에 있던 말들은 여유롭게 풀을 뜯으며 햇살을 받고 있었다.

어제 온또에서 보지 못한 순례자들도 속속 보이기 시작했다. 바람이 너무 부는데 배는 엄청 고파 와서 길 중간에 배낭을 던지고 그걸 방석 삼아 앉아서 도시락을 먹었다. 붉은 재킷을 입은 갈색 머리의 여인이 무언가 먹을거리를 꺼냈는데, 바람이 세차게 불어서 날아가 버렸다. 잡으려고 애써 보았지만, 도시락은 더 높이, 더 멀리 날아갔다. 그녀는 손을 허벅지에 치며 안타까워했다. 그 비극적인 장면을 처음부터 끝까지 지켜보던 나도 덩달아 허망함이 느껴졌다. 다시 생각해도 너무 우스운데, 그러면서도 허망하고 안타까운 사건이었다.

스페인 길 십자가를 지나서 롤랑의 샘이라는 곳에서 물을 마시고, 유럽 중세 영화에서 본 듯한 늑대나 도둑 떼가 나올 것 같은 숲을 지났다. 사람이 많이 안 다니는 길은 낙엽이 쌓이고 쌓여 발을 디딜 때마다 오래된 낙엽들 아래로 종아리까지 푹푹 빠졌다. 눈처럼 높이 쌓인 낙엽에 발이 빠져본 것은 태어나서 처음이었다. 아침에 숙소에서 주워 온 나무막대로 푹푹 찔러보며 걸었는데, 발이 낙엽에 쑥쑥 들어가니 알 수 없는 공포감이 들었다. 그래서 아주 천천히 갓길로 걸어갔는데, 나무가 우거져 그늘이 짙은 곳에 브라질 순례자의 무덤이 있었다. 내가 처음 본 순례자의 무덤이어서 산속 무덤의 형상이 강렬한 기억으로 남아 있다. 가톨릭 신자들에게 오래전부터 내려오는 이야기 중 하나가 까미노를 완수하면 인생에서 자기가 지은 죄의 반이 사해진다는 것이다. 그래서 시한부 선고를 받았거나 몸이 아픈 상태로 죽기 전에 산띠아고로 가는 길에 오르는 사람들이 있다고 했다. 순례자가 까미노 중에 죽으면 그 자리에 비석을 세워 기렸다. 800여 km의 프랑스길에서는 사연 있는 순례자들의 비석을 종종 볼 수 있다. 이 브라질 순례자는 어떤 이유로 이역만리까지 와서 생을 마감했을까?

걸을 때마다 발이 낙엽에 쑥쑥 빠지니 머릿속에서 만들어낸 두려움이 온 감각을 지배했다. 뭔가 무서운 것이 내 발에 밟히면 어떡하나? 뱀이라도 자고 있으면 어떡하나? 이러한 두려움 때문에 발을 내딛는 속도가 떨어졌다. 한참을 그러고 내려오니 상상으로 만들어낸 두려움도 어느덧 익숙한 발걸음에 밀려 조금씩 사라져 갔다.

론세스바예스Roncesvalles로 내려가는 산길에 드디어 다다랐다. 이 산길만 내려가면 오늘의 목적지인 스페인의 작은 시골 마을 론세스바예스에 도착하게 된다. 그런데 날씨가 갑자기 나빠진다. 비가 내리기 시작하더니 갑자기 우박이 후드득 떨어졌다. 챙겨온 우산을 서둘러 꺼내 쓰고 내려왔다. 아아, 한국이었다면 절대 하지 않았을 일을 하다니! 비 오는 날 산행이라니! 우박이라니!

비가 오지 않았다면 알록달록 노랗고 붉은 늦가을의 이국적인 풍경이 참 멋스럽게 느껴졌을 텐데...... 10kg가량이 되는 가방을 메고 낯선 길을 걷는데 심지어 안개가 자욱하게 내려앉기 시작했다. 안개 때문에 길과 안내판이 안 보이니 마음이 다급해졌다. 다행히 앞서거니 뒤서거니 하는 다른 순례자가 한 명 있어서 무섭지는 않았다. 불안한 마음을 지우려고 노래를 크게 부르기 시작했다. 노래를 부르며 안개가 내려앉은 산길을 걷고 또 걸었다.

마침내!!!

"론세스바예스 레푸지Roncesvalles Refuge"라고 적힌 곳에 도착했다. 성당 한편에 지어진 순례자들의 오래된 안식처인 숙소였다. 꽤 많은 순례자들이 벌써 침대를 차지하고 있었다. 붉은색 프레임으로 된 낡은 이층 침대였는데 덩치가 있는 사람에게는 침대가 매우 좁아 보였다. 짐을 풀고, 숙소 근처에 있는 식당에 가서 저녁 식사 예약을 하고, 다시 숙소에 와서 짐을 정리하고 씻고....... 후유, 그렇게 분주한 시간이 지나갔다.

식사 시간까지 여유가 생겨서 식당 앞 조그마한 바에 앉아 따뜻한 카모마일차를 마시며, 오늘의 정보를 SNS에 남겼다.

드디어 저녁 식사 시간, 하루 종일 산길과 비와 우박과 안개에 시달린 내 몸과 위장이 보상을 받을 시간이었다. 식당의 순례자 메뉴엔 와인이 포함되어 있어서 피로를 달래주기에 제격이었다. 프랑스인 3명, 독일인 2명, 한국인 5명(실화냐?), 네덜란드인 1명, 스페인인 1명이 함께 식사를 했다. 그야말로 글로벌한 저녁 식사 자리였다. 다들 오늘 같은 날씨에 피레네산을 넘는 같은 경험을 하고 와서

인지 묘한 동료애가 느껴졌다. 오늘 있었던 일 이야기가 식탁을 가득 채웠다. 세찬 바람에 점심 샌드위치가 날아간 이야기, 갑자기 비를 맞으며 걸은 이야기를 나누었다. 우박을 맞았냐는 물음도 이어졌다. 한국인 아저씨는 안개 낀 산길을 걷느라 막막하던 중에 내 노래(내가 부른 노래는 '사랑가'이다)를 듣고 한국에 있는 아내 생각이 간절해졌다고 했다.

식사를 마치고 숙소에 돌아와 다들 곯아떨어졌다.

자는데 '쿵' 하는 소리가 들렸다. 아니나 다를까 그 좁은 침대 2층에서 누가 떨어진 것이다. 그가 떨어진 것을 본 프랑스인이 "Are you OK?(괜찮아?)"라고 물어봤는데 떨어진 한국인이 벌떡 일어나며 "I'm OK!(난 괜찮아!)"를 여러 번 이야기했다. 어디 다쳤을까 봐 걱정은 되는데 너무 웃겨서 다들 큰 소리를 내지 않기 위해 얼굴을 숙이고 어깨를 들썩거리며 조용히 웃었다. 나라도 피곤하니 뒤척이다 떨어지겠다 싶은데 안 다쳤으니 다행이지만 "I'm OK"가 귓속을 맴돌아 너무 웃겼다.

그렇게 **까미노 프랑세스**의 첫 관문이 지나고 있었다.

피레네산의 풍경

론세스바예스에 도착하는 중

3. 론세스바예스 > 주비리Zubiri : 23km

아침 일찍부터 비가 오기 시작했다.

우산을 쓰고 한참 걸어 숲과 부르게떼 마을을 지나, 소가 많이 있는 목장과 산의 오솔길을 지났다.

오전에 에스피날Espinal에서 나의 영원한 에너지 드링크, 까페 꼰 레체Café con leche[1]와 또르따 데 만사나Torta de manzana[2], 그리고 케이크 한 조각을 챙겨 먹고 다시 걷기 시작했다. 린소아인Linzoáin을 지나는 좁은 고갯길에 접어들었을 때, 이상한 사람이 좁은 길 중간에 서 있었다. 건장한 체격의 스페인 남자였는데 순례자 차림이 아니었고 짐도 없었다. 인사도 하지 않고 나의 움직임을 주시하는 눈빛이 이상해서 놀랐다. 그 수상한 사람과 간격을 벌리

1) 밀크커피 : 커피믹스와 유사하지만 인공의 맛이 아니라 정말 진한 커피와 우유가 만난 환상의 커피

2) 사과파이

려고 빠른 걸음으로 걷기 시작했다. 이내 앞서가던 카렌을 만나 다행이었다. 그녀는 아일랜드 출신인데 지금은 프랑스 중부의 작은 레스토랑에서 일하고 있다고 했다. 붉은 곱슬머리의 경쾌한 카렌과 이런저런 이야기를 나누면서 주비리로 향했다. 카렌은 어제 론세스바예스의 알베르게에서 한국 남자가 2층 침대에서 떨어지는 장면을 고스란히 본 목격자다. 그녀는 걱정스러워서 "괜찮아?" 하고 물으면서도 너무 웃겼다고 털어놓았다.

주비리로 향하는 내리막길은 큰 돌들이 있는 데다 경사져 있어서 무릎이 급격하게 아파 왔다. 긴 나뭇가지를 주워 지팡이로 쓰면서 마침내 오늘의 목적지인 주비리에 도착했다.

공립 알베르게는 멀어서 10유로를 주고 사설 알베르게에 짐을 풀었다. 호스피탈레로Hospitalero[3]인 피터는 스웨덴 사람이었는데 키가 정말 컸다. 그도 순례자인데, 경비가 떨어져 사설 알베르게에서 잠시 일을 하고 있다고 했

---

3) 순례자를 위한 숙소 알베르게를 관리하고 운영하는 사람. 공립 알베르게의 경우 호스피탈레로 협회에서 시기와 지역을 지원받아 자원봉사로 참여하는 사람들도 종종 있다.

다. 그가 그림을 그리는 것을 보고 나도 준비해 간 화선지에 먹물로 한국의 스님에게서 배워둔 난을 그려 주었다. 한지를 신기해하는 그에게 한지에 대해 설명해 주고, 한지 몇 장과 먹물을 조금 선물해 주었다. 동양의 그림 재료를 받더니 그는 매우 즐거워했다.
같은 숙소에 묵는 순례자들과 인근 식당에서 신나게 웃으며 저녁을 먹고 숙소로 돌아왔다.

내일은 가방을 더 단단히 챙겨 메고 가야 할 듯하다. 걸으면서 알게 된 사실인데 등산 가방에는 숨겨진 기능이 많았다. 허리 받침대, 가슴 버클, 조절 끈 등은 가방이 몸과 일체가 되도록 잘 고정해 주었다. 허리 받침대를 골반 위치에 잘 걸면 가방 무게가 어깨나 허리에 집중되지 않도록 분산시켰다. 그런 중요한 사용법을 걸으면서 알게 되다니! 미리 알았다면 피레네산을 넘을 때 고생을 덜 하지 않았을까? 오늘 내리막길을 걸을 때도 얼마나 무릎이 아팠던가? 정말 장비 하나하나에도 만든 사람들의 기발한 아이디어가 곳곳에 숨어있다는 게 느껴진다.

내일은 빰쁠로나Pamplona에 도착하면 하루를 더 묵고 나바라 대학에 가봐야겠다. 그 무거운 안내 책자에서 그러는데 나바라 대학에 가면 순례자 학위라고 불리는 까미노 데 산띠아고 데 우니베르시닷Camino de Santiago de Universidad을 할 수 있는 크리덴시알[4]을 발행해 준다고 한다. 믿거나 말거나 한번 알아보기로 했다. 어차피 내일은 가방 무게를 줄이기 위해 내 짐의 일부를 산띠아고 우체국으로 부쳐야 한다. 그러니 빰쁠로나에서 하루를 더 묵으면서 연속된 산행으로 인한 피로를 좀 풀어줘야겠다고 생각했다.

---

4) Credencial de Camino de Santiago de Universidad : 산띠아고 가는 길에 있는 대학과 관공서, 알베르게 등의 도장을 찍는 다른 종류의 순례자 여권

순례자 여권_크리덴시알

CARNET DE PÈLERIN
DE SAINT-JACQUES

"Credencial del Peregrino"

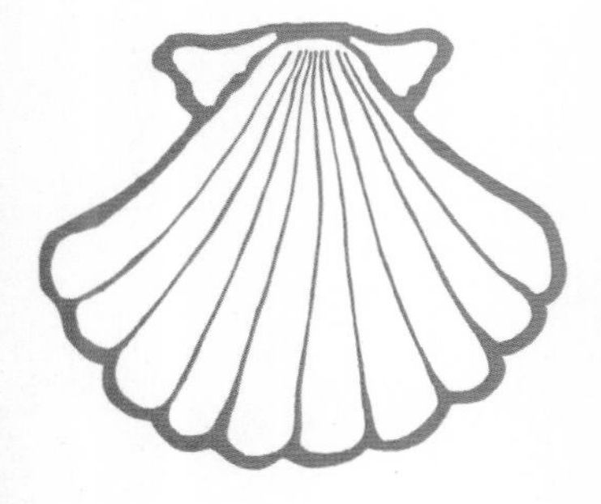

délivré par :

Les Amis du Chemin de Saint-Jacques
Pyrénées-Atlantiques

☆

39, rue de la Citadelle
F. 64220 SAINT-JEAN-PIED-DE-PORT
www.aucoeurduchemin.org
www.compostelle.fr

Camiño de
Fisterra

Albergue Turístico · Pensión

San José **

881 976 934

NEGREIRA

Rúa de Castelao, 20
NEGREIRA (A Coruña)

www.alberguesanjose.es
info@alberguesanjose.es

www.campus-stellae.org

Iacobea

Credencial Jacobea Universitaria

Jacobean University Credential

Vniversitatum

Certification Universitaire du Chemin de Saint-Jacques de Compostelle

大学関連者サンティアゴ巡礼証明書

Studiorum

Accreditamento Universitario del Pellegrinaggio a San Giacomo di Compostella

Jakobspilger-Universitätsausweis

Consignatio®

Akademickie Swiadectwo Drogi sw. Jakuba

由大学签发的雅各朝圣证书®

Acreditação Jacobea Universitária

In consignationvm albo nvmervs

3075 2

산띠아고 데 우니베르시닷

Camino de Santiago de Universidad

...vmnorvm Navarrensivm sodalitas, devotionis erga ...tvm Iacobvm particeps, qvam via ad sepvlcrvm Apostoli regiones peregratas popvlosqve spargit et avget, hoc ...acobevm Universitatvm Studiorvm Consignationem®, ...hristianae peregrinationis spiritvs docvmentvm qvo ...nae litterarvm disciplinarvmqve sedes imbvti svnt, edit

Domino/dominas

Kim Yung Mi

Tessera identitatis testis

M31791706

Patria regio

COREA DEL SUR

Itinerarivm

Camino Francés

Initivm peregrinationis

Saint Jean Pied de Port

Qvi/qvae apostolicvm iter

✓pedibvs/ ▪ birota/ ▪ eqvo/ ▪ aliter

...onficit per Stvdiorvm Vniversitates Sancti Iacobi viae assidentes, qvarvm inveteratam atqve hodiernam cooperationem grato animo probatvr.

Pro Alvmnorvm Navarrensivm Sodalitate

Svbscriptio nomine obsigno

adeco camino

amaya camino de santia...

CASTROJERIZ

FECHA 28-11 CASTROJERIZ 28/11/2012

FECHA

FECHA

Albergue Municipal de Peregrinos Frómista

FECHA 29/11/12

Bar TIENDA DE PASO

Teléf.: 653 874 783

Población de Campos - PALENCIA

Hostal - Bar Las Cantigas

Villalcázar de Sirga

979 88 80 27 (Palencia)

FECHA 30/11/2012

30-11-2012

FECHA

FECHA

FECHA 02·12·2012

FECHA

FECHA

FECHA

BAR LA TO...

Eugenio Prieto Ra...

N.I.F.: 09 730 875 - ...

C/. Cantas, 32 - B

24339 RELIEGOS (Le...

FECHA 3-12-12 4-12-12

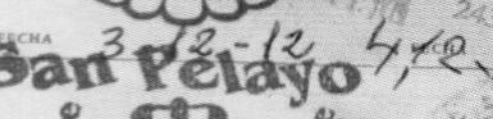

FECHA

4. 주비리 > 빰쁠로나Pamplona : 22km

잠을 푹 자고 눈을 떠서 짐을 챙겨 길을 나섰다. 9시 출발. 다들 어쩌면 그리도 일찍 준비해서 숙소를 나가는지! 9시 출발 순례자란 정말 늦게 출발하는 순례자인 것이다. 피터는 누가 두고 간 거라며 튼튼한 나무로 잘 깎아 만든 기다란 지팡이를 나에게 주었다. 내가 어제 산에서 주워 사용하던 나약해 보이는 막대가 신경 쓰였나 보다. 그 지팡이는 땅을 오래 짚어도 마모되지 않게 끝이 쇠로 마감되어 있어서 튼튼해 보였다. 어제 내려오던 길에 닳아서 더 짧아진 나뭇가지의 모양새와 비교하면 피터가 준 지팡이는 마치 무적의 로마 군인 같았다.

오늘은 날씨가 좋았고 길도 매우 평탄했다. 간간이 갈림길이 있어 오락가락 헷갈렸는데, 그때마다 네덜란드인 안느 마리가 마치 길 안내 요정처럼 앉아서 쉬고 있었다. 그녀는 하늘색 등산 재킷을 입고 있었는데 정말 눈에 잘 띄어서 나의 하늘색 까미노 안내 천사 같았다.

내일은 빰쁠로나에서 하루 더 머물 예정이다. 대도시의 모습을 살펴보고 싶기도 하고, 이 무거운 짐을 덜어서 산띠아고 우체국으로 소포를 보내 놓고 싶기도 했다. 산띠아고 우체국에서는 순례자들을 위해 간단한 소포 정도는 꽤 오랜 기간 보관해준다. 가방 속에는 산띠아고 도착 이후에 사용할 물건도 있어서 좀 덜어내야 할 필요가 있었다.

여행지가 집에서 멀수록, 여행 기간이 길수록 여행 짐도 많아진다. 물론 통장에 돈을 잔뜩 넣어두고 신용카드로 필요한 것을 그때그때 사서 쓰면 그만인 세상이 되었다. 하지만 나는 가난한 순례자....... 까미노를 마친 이후의 여행에서도 필요한 짐까지 다 담아왔기 때문에 당장 필요하지 않은 짐은 분리해서 10kg나 되는 가방을 가볍게 만드는 일이 절실하다.

아침에 주비리에서 출발하면서 다음 마을이 가까이 있다

는 생각에 식사 준비를 대충 했다. 빵 두 조각이 내 끼니의 전부였는데, 시간이 지나니 배가 무지 고팠고 다음 마을에서는 식당을 찾기가 힘들었다. 배가 고프면 정말 고행이다. 발에 물집이 생겨도 고행이다. 특히 도보 여행에 익숙하지 않은 몸이 적응하는 까미노의 1주 차는 몸이 고생이다.

겨우 찾은 식당에서 식사를 하고 나와서 걷기 시작했다. 여러 개의 작은 마을을 지났다. 자연의 야외 화장실에 익숙하지 않은 나에게 작은 마을의 한 여인이 기꺼이 자기 집 화장실을 쓰게 해주었다. 생각해보면 일면식도 없는 이들에게 아무 조건 없이 자기 집 화장실을 사용하게 해주고, 과일이나 물을 주고, 앉을 자리를 내어 주던 스페인 사람들이 참 많았다.

화장실을 쓰게 해준 스페인 여인은 나의 허름한 지팡이를 보더니 내 키에 비해 너무 작다며 자기 집에 있던 기다랗게 잘생긴 막대를 주었다. 그래서 이날 나에게는 피터가 준 무적의 로마군 스타일의 나무 지팡이와 스페인 여인이 준 잘생기고 쭉 뻗은 나무 막대가 생겼다.

지팡이를 짚으면 무게가 분산되어서 무릎에 무리가 덜 간다. 지팡이를 짚으며 작은 마을과 강을 따라 아름다운 풍경을 감상하며 걸었다. 그런데 짐이 너무 무거웠다. 머릿속으로 가방에서 빼고 소포로 보낼 물건의 목록을 정리해 봤다.

아르Arre를 지날 때 아침에 숙소에서 먼저 출발한 카렌을 다시 만났다. 그녀와 한참 걷다가 카페에 들러 하몽Jamón과 훈제 연어, 까망베르 치즈가 든 빵과 함께 차를 마셨다. 허기를 채우고 몸을 따스하게 할 때의 그 느낌이란! 세상 아늑하고 행복하다. 내 모습을 보던 카렌이 사진을 찍어주었다. 머리카락은 땀에 절어 있고, 화장기 없는 자연 그대로의 얼굴엔 웃음이 가득한 사진이 영원히 남았다. 카페 주인아저씨에게 도장도 받았다. 까미노 여정의 카페나 식당에서 "혹시 도장 찍어줄 수 있어요?" 하고 물으면 그 장소의 이름이 있는 독특한 고유 표식의 도장을 찍어준다. 무게가 생겨나지 않는 세상에서 유일한 기념품이다.

다시 힘을 내어서 빰쁠로나로 들어섰다.

거대한 성문을 지나 요새로 된 듯한 구시가지에 도착했다. 새 신발로 인해 발뒤꿈치에 5cm가 넘는 엄청난 크기의 피고름이 생긴 카렌과 함께 약국에 들렀다. 스페인어로 통역을 해주었다. 나는 페루에서 2년 동안 한국국제협력단 코이카KOICA의 해외봉사단원으로 살았던 경험 덕에 스페인어를 웬만큼 한다. 남미식 스페인어 욕도 찰지게 할 수 있다. 그곳의 언어를 할 수 있다는 건 생존에 아주 유익하다. 걸을 때마다 발이 아팠던 카렌은 내가 통역해준 덕에 무리 없이 약을 샀다며 고마워했다.

시청을 지나 아름다운 돌길을 따라 조금 더 올라가니 크고 넓고 깨끗한 빰쁠로나의 공립 알베르게가 보였다. 지금까지 본 알베르게 중에 규모도 크고 식사를 해 먹을 식당도 꽤 컸다. 주비리에서 만났던 순례자들이 다들 도착해 있었다.

우리는 다 같이 요리해서 저녁 식사를 함께 하기로 했다. 카렌과 근처 슈퍼에 장을 보러 갔다. 와인도 고르기로 했는데 와인 종류가 너무 많아서 동네 주민에게 물어보기로 했다. 와인 코너에 서 계시던 할아버지께 어떤 와인이 좋냐고 질문했을 뿐인데……. 카렌과 나는 할아버지의 청년 시절부터 관악대를 하던 시절, 현재까지의 삶에 대한 장황한 이야기를 들어야 했다. 스페인 사람들은 정말 수다스럽다. 난생처음 보는 할아버지의 인생 요약을 다 들을 줄은 꿈에도 몰랐다. 할아버지의 인생 스토리가 끝난 다음에야 "2~3유로짜리 와인이 제일 무난하다."라는 답을 들을 수 있었다.

· ·

프랑스 중부 어느 곳에서 레스토랑을 한다는 카렌이 솜씨를 발휘해서 파스타와 샐러드를 만들었다. 나는 사람들에게 기억에 남을 만한 선물을 주려고 한지와 먹과 붓을 들고 갔는데(그리 무겁지 않다. 이상하게 보지 마시라.) 그날이 그 선물의 날이었다. 나는 빰쁠로나에 하루 더 묵을 거고 그들은 계속해서 산띠아고로 갈 테니까, 내가 더 빨리 걷거나 누군가가 일정을 늦추지 않는 한 우리는 다시 만나기 힘들 수도 있다. 나는 한지에다가 먹물을 머금은 붓으로 각자의 이름을 한글로 써 주고, 이름 옆에는 선화 그리는 스님께 배운, 서툴지만 기초적인 난을 그려서 선물로 주었다. 한지는 매우 가볍기 때문에 선물로 주기에도 부담이 없다.

안느 마리에게는 "나의 천사 안느 마리"라고 써 주고 번역해 주었다.

"내가 천사야?"

"응, 내가 까미노를 시작할 때부터 넌 나의 천사야."

선물을 건네받은 안느 마리는 고마워하는 표정이 가득한 채로 고이 종이를 간직했다.

살면서 고마운 천사들을 많이 만난다. 천사는 사람이기도 하고, 긴 해안가에서 잔잔하게 나를 위로해주는 쉼 없는 파도이기도 하며, 길고양이나 강아지이기도 하고, 나무나 꽃이기도 하다.

여러 가지 일이 많았던 빰쁠로나의 밤이 웃음소리와 함께 저물어 갔다.

까미노 표식_산띠아고로 향하는 노란 화살표

5. 빰쁠로나

날씨가 화창했다.

생장부터 며칠 일정을 함께했던 친구들이 먼저 출발했다. 안녕, 좋은 친구들! 그 친구들은 피렌체산을 건널 때 길이나 숙소에서 며칠을 겪어보았는데, 너무 멋진 그룹이었다. 좋은 친구들과 내가 속도가 맞지 않아 헤어져야 할 때는 너무 아쉬웠다. 그들과는 단지 사흘을 함께 지냈는데 마치 평생 알고 지낸 친구들 같았다. 또다시 그런 멋진 그룹을 만나면 좋겠다.

오전에 커피를 한잔하고 빰쁠로나 우체국에서 산띠아고 우체국으로 내 짐의 일부를 소포로 보냈다. 산띠아고 우체국에서 순례자의 소포를 몇 주간 보관해준다는 정보도 그 무거운 "신과 함께 가라 - 산띠아고 가는 길" 안내 책자에 있었다. 우체국에서 짐을 몇 주간이나 보관해주다니! 순례자들을 위한 이러한 배려는 스페인에서는 오랜 시간을 걸쳐 형성된 문화인 것 같다.

그 안내 책자에서 나바라 대학Universidad de Navarra에 가면 산띠아고 순례 학위를 받을 수 있는 사무소가 있다고 했다. 밑져야 본전이라 생각하고 나바라 대학으로 걸어갔다. 대학 내에서도 물어물어 사무소를 찾았다. 담당하시는 분은 친절하게 지도와 함께 꼼뽀스뗄라 우니베르시따리아Compostela Universitaria를 나에게 주었다. 이제 도장을 받아야 하는 특별한 순례자 학위용 시험지를 받은 거다. 꼼뽀스뗄라 우니베르시따리아는 대학에 재학 중이거나 졸업한 사람을 대상으로 하며, 순례자길을 완수한 것으로 증명되는 사람에게 주는 학위다. 이는 까미노와 스페인의 문화를 이해하는 것에 대한 학위라고 할 수 있다. 꼼뽀스뗄라 우니베르시따리아에도 순례자 여권처럼, 도장을 찍어야 하는 빈칸이 한가득 있다. 여기에 스페인의 주요 대학과 공공기관, 알베르게 등의 도장을 받고, 자기가 재학 중이거나 졸업한 대학의 도장을 받아 나바라 대학의 이 사무소에 다시 보내면 도장과 날짜 등을 확인하고 문제가 없을 시에 순례자 학위를 발급해준다. 이 도장을 완성하기란 사실 쉽지 않은데, 다 완성하고 나면 라틴어로 된 순례자 학위 문서를 스페인으로부터 한국까지 우편물로 직접 보내준다.

나바라 대학을 나와 동네 구경을 하며 다시 한참을 걸었다. 빰쁠로나 관광안내 센터에 들렀다가 투우장을 보고 허기진 상태로 숙소에 돌아왔다. 점심을 해 먹고 순례자 도장을 받으러 시청에 들렀다. 빰쁠로나 시청 발코니는 뿔이 달린 큰 소와 사람이 함께 뒤엉켜 달리는 산 페르민 축제Fiesta de San Fermin의 시작을 알리는 곳으로도 유명하다. 계단을 올라 들어간 시청은 정말 멋졌다. 시청을 지키는 경찰들도 매우 친절해서 도장도 잘 찍어주고, 내가 감탄의 눈망울을 하고 입을 벌린 채 위를 보고 있으니, 2층으로 가는 계단 쪽을 구경하게 해주었다. 고풍스러운 시청 건물 내부를 이렇게 직접 구경하다니! 여행자가 다른 나라의 시청이나 공공기관, 학교 등 현지인이 생활에 사용하는 곳을 둘러보기가 쉽지 않다. 꼼뽀스뗄라 우니베르시따리아에 도장을 받으며 이렇게 공공기관 내부를 둘러 보니 마치 무적의 입장권을 가진 것 같아 좋았다.

내일의 여정을 위한 장을 보고 와서 라면을 먹고 빰쁠로나 성당Cathederal de Pamplona의 미사에 참석했다. 그리고 나바라 박물관Museo de Navarra에 들러 오래된 스페인 그림과 유적, 조각 작품들을 감상했다. 여행할 때의 습관인데 웬만하면 그 지역의 박물관이나 미술관에 들른다. 박물관과 미술관을 눈여겨보면 그 지역만의 특색 있는 분위기를 찾아내기 좋고, 지역에 대한 이해도도 높아진다. 스페인 예술품은 참 독특하다. 프랑스나 이탈리아에서 본 그림들처럼 화려하지 않으면서 인물화의 형태가 단순하고 아이콘화가 많다. 이런 작품들이 잘 보존되어 있는 것도 신기하다.

박물관 관람 후에는 카페에 들러 스페인 북부 지방의 핀초스Pintxos[1]를 먹으면서 와인도 한잔했다. 세상 좋다. 하

1) 스페인 북부 지방의 전형적인 간식이다. 바스크어로 Pintxos, 스페인어로 Pinchos 둘 다 사용한다. 직역하면 가시나 못을 뜻하는데 작은 빵조각 위에 새우나 생선 또는 하몽, 계란샐러드 등을 올리고 이쑤시개나 작은 꼬챙이를 꽂아 준다. 주로 바에서 종류별로 진열해 놓아서 골라 먹는 재미가 있다. 스페인 남부 지방에서는 이런

루 쉬었는데 순례자가 아닌 관광객이 되어 여유로우니 말이다. 어쩌면 친구들과 걷는 게 더 재미날 수도 있지만, 이렇게 혼자만의 시간을 갖는 것도 참 좋았다. 까미노를 걷다가 이렇게 여유 시간을 즐기거나 하루를 쉬게 되면 순례자에서 관광객이 된다. 그 경계는 내 발걸음과 마음가짐에 달려있다.

그런데 벌써부터 안느 마리와 카렌이 보고 싶다. 그녀들과 함께 수다 떨며 킥킥거리고 싶다.

류의 간식을 따빠스Tapas라고 한다.

식당에 진열된 다양한 핀초스

6. 빰쁠로나
> 뿌엔떼 라 레이나Puente la Reina : 25km

하루 쉬었더니 발걸음이 한결 가뿐해졌다. 멋진 시설의 알베르게를 나와 구시가지를 지나, 어제 들렀던 나바라 대학을 뒤로하고 빰쁠로나를 조금씩 벗어났다. 내가 오늘 지나갈 길은 뻬르돈 언덕Alto de Perdon에 있다. '용서의 언덕'이라고 번역되는 뻬르돈 언덕에 접어들어 뒤를 돌아보니 빰쁠로나 시내가 훤히 보인다. '또 떠나가는군.'이라고 생각하며 오늘의 목적지 뿌엔떼 라 레이나로 발걸음을 돌렸다.

과수원 같은 좁은 길을 오르다 집이 보이길래 그 모퉁이에서 가방을 내리고 잠시 쉬었다. 동네 스페인 할아버지가 쉬고 있던 나를 보더니, 기다려 보라며 집으로 들어가셨다. 스페인 도시 외곽이나 시골 마을을 지나다 보면 어르

신들이 정말 많다. 한국의 시골도 비슷하겠지만, 한적한 시골로 갈수록 젊은 사람들은 찾아보기 힘들다. '팝니다 Se vende'라는 팻말이 붙은 집들도 수없이 보게 된다. 아름답고 자연 경관이 멋지고 오래된 유적이 있는 곳일지라도 대도시가 아니라면 젊은이들을 만나기가 어렵다. 내가 한숨을 돌리는 사이, 뻬르돈 언덕 근처에 사시는 이 할아버지가 집에 있던 과일을 가지고 나오셨다. 생판 남인 동양인 순례자에게 주려고 아껴둔 포도를 들고 나오신 거다. 극구 사양했는데도 불구하고 할아버지는 내 손에 꼬옥 쥐여주시고 만족한 듯 웃으셨다. 짐의 무게와 사투를 벌이던 나는 받은 포도 무게만큼 짐이 늘었다. 실은 포도가 너무 오래되어 먹어도 되나 싶을 정도였다. 그분의 정성이 내 지팡이의 끝자락에 매달려 흔들리고 있었다. 먹을지 말지 한참 갈등하던 중에 어느새 뻬르돈 언덕 정상에 올랐다.

까미노 프랑세스를 상징하는 사진에 항상 등장하는 순례하는 사람들의 철재 장식물이 그 언덕 꼭대기에 있었다. 풍력발전기도 돌아가고 있어서, 내가 거기 서 있는 게 비

현실적으로 느껴졌다. 빼르돈 언덕 정상에 앉아 그 오랜 갈등의 선물, 포도를 먹어 치웠다.

가벼워진 마음으로 빼르돈 언덕을 뒤로하고 내리막길로 접어들었다. 그때부터 무릎 고통의 지옥이 시작되었다. 끝이 없어 보이는 자갈 내리막길에 내 무릎 연골이 홀라당 튕겨 나갈 듯했다. 조금만 방심하면 돌에 미끄러져 넘어질 것 같았다. 넘어지지 않으려고 다리에 얼마나 힘을 주었던지....... 자갈길은 발에 자극이 많이 와서 걷기가 무척 힘들다. 왜 그렇게나 자갈이 가득한지 아직도 이해할 수가 없지만, 결코 잊지 못할 고난의 길이었다.
도가니가 터질 듯한 고통에 마침표를 찍듯 평지가 나오고 다음 마을이 보였다. 힘든 일은 다 지나게 되어있다. 끝날 것 같지 않은 그 길의 끝이 어디냐고 한탄하기보다 인내심을 품고 그 순간의 발밑을 보고 다치지 않게 계속 걸어나가다 보면 다 지나가진다. 그 고난의 길에 멈추지만 않으면, 다 지나가진다. 오늘 이 길은 그런 교훈을 주었다. 진짜 다 지나가진다.

거대한 농기계가 오고 가는 농지와 작은 마을들을 지나 목적지인 뿌엔떼 라 레이나Puente la Reina에 도착했다. 마을 이름에 '여왕Reina'이 있었지만 기대한 만큼 화려하진 않았다. 빰쁠로나에서 하루 쉬었다가 다시 걸어서인지, 가공할 만한 자갈길 내리막 때문인지 오늘의 25km 여정은 쉽지 않았다.

◀ 뻬르돈 언덕에서

7. 뿌엔떼 라 레이나 > 에스뜨레야Estrella : 20km

날씨가 너무 맑아 11월임에도 여름 같았다.

아침에 출발하여 안개가 자욱하게 낀 레이나 다리를 지났다. 뿌엔떼 라 레이나Puente la Reina 즉 '여왕의 다리'라는 이름답게 이곳은 장엄하게 흐르는 강 위에 돌로 지어진 아름다운 다리로 유명했다. 다리에서 경치 구경을 더 하고 싶었지만, 오늘의 갈 길을 서둘러야 했다.

언덕을 오르는 길은 꽤 좋았다. 뒤를 돌아보니 마을이 온통 안개로 감싸져 있고, 교회의 십자가만이 그 안개를 뚫고 올라 마치 허공에 십자가가 떠 있는 듯이 보였다. 캐나다인 순례자와 땀을 식히며 그 광경을 바라보고는 둘 다 탄성을 질렀다. 그는 나중에 비밀을 알려주듯이 조심스레 자신의 이야기를 해줬는데 까미노를 여러 번 왔고, 이 길에 관한 이야기를 쓰는 작가라고 했다. 그는 숙소에 도착하면 매일 노트와 씨름하는 듯 보였는데, 그 이유를 그제야 알게 되었다. 순례를 하며 글을 쓰다니 너무 멋진 직업이 아닌가?

에스뜨레야Estrella는 스페인어로 '별'이라는 뜻이다. 내가 페루에 한국국제협력단 코이카의 봉사단으로 있을 때 쓴 스페인어 이름도 '에스뜨레야'였다. 그래서인지 이 마을에 도착하는 것에 대해 묘한 기대감이 있었다. 남미는 거대하면서도 한국과는 너무나 다른 환경이었다. 컴퓨터 분야의 봉사단원이었던 나는 고등학교에 배치받아 컴퓨터 기초 교육을 해야 하는데, 학교에 컴퓨터가 없었다. 그래서 학교에 처음 도착해서 한 일은 동료 단원들과 자료 조사를 하고 전산실을 만드는 것이었다. 믿지 않을 수도 있겠지만, 학교의 수도꼭지란 수도꼭지는 죄다 훔쳐 가서 학교 화장실에 물이 나오지 않아 위생 상태가 정말 엉망이었다. 한국의 학부모가 그 학교의 화장실을 봤다면 아마 기절했을지도 모른다. 학생들을 위해서는 전산실이 생기는 것도 중요한데 기본 위생조차 보장되지 않는 학교 시설을 생각하니 잠이 오질 않았다. 다행히 당시 페루 사무소 소장님은 단원들의 이야기를 잘 들어주는 멋진 분이었다. 고심 끝에 소장님께 전화하여 문의하니, 학교를 위한 코이카 프로젝트에 위생 관련 조항을 넣어서 화장실 보수 공사를 할 수 있게 해주셨다. 물론 그것은 자료 조사가 다 되어 있어서 가능한 일이었다. 나중에 안 사실이지만, 다른 국가에서는 감히 일반 단원이 직통으로 소장님과 통화를 할 수 없는 곳도 있었다. 누군가에게 도움이 닿을 수 있게 열려있는 사람이 진짜 좋은 사람이 아닌가 생각하게 해준 소장님이었다.

페루는 치안이 좋지 않아서 해가 지면 거의 밖에 다니지 못한다. 그래서 이런 나라에 살다가 고국에 돌아오면 한국문화에 다시 적응하는 시기를 겪어야 했다. 한국은 치안이 상당히 좋다는 것을 아는데도 불구하고 한동안 가방으로 누군가의 손이 들어오지 않을까 걱정하곤 했다. 그리고 밤에도 잘 나가지 않았다. 어두운 밤이나 새벽에 길을 걸을 수 있는 안전한 나라는 한국이 거의 유일한 것 같다.

페루에서 지내던 중에 진도 8.0의 강진이 일어났다. 그날 나는 죽을 수도 있겠다고 생각했다. 자연의 분노는 인간이 얼마나 나약한 존재인가를 알게 해주었다. 내가 근무하던 학교와 동네는 지진으로 초토화되었다.

지진이 난 시각 오후 6시 반. 아직도 그 시간을 생생하게 기억한다. 오랜 시간이 지났지만, 세상을 다 부숴버릴 것 같은 그 거대한 자연의 분노는 잊을 수가 없다. 한국에 돌아와서도 공사장을 지나다가 땅이 울리면 그때의 그 무서운 기분이 다시 느껴졌다. 초토화된 지역을 떠나올 때, 페루의 옛 언어인 케추아어를 하는 한 선생님이 내 이름 에스뜨레야와 관련된 별의 노래를 케추아어로 불러주었던 기억이 떠올랐다.

에스뜨레야는 나의 옛 스페인어 이름 때문에 친숙하게 여겨졌지만, 마을에 가까워지며 나타난 공장 지대의 어수선한 풍경은 회상에 젖은 내 마음을 어지럽혔다.

공립 알베르게에 도착해서 짐을 풀고 빨래를 했다. 동전

세탁기가 있어서 간만에 손빨래를 하지 않고 모든 옷을 빨았다. 속이 시원했다. 빨래를 널고 숙소 근처 마트에서 장을 봐서 저녁을 해 먹었다. 알베르게에 도착한 미국인 순례자가 어디서 넘어졌는지 무릎이 심하게 까진 채 소금물에 발을 담그고 있었다.

까미노 일주일째. 몸이 걷는 것에 익숙해지기 전까지 온몸이 아파 온다. 매일 10kg 정도의 가방을 메고 20km 이상씩 걷는 일을 상상만 하다가 실제로 겪어보니 안 아픈 곳이 없다. 소포로 짐을 한 차례 덜었어도 다음 날의 음식과 물을 담으면 가방은 금세 또 무거워진다. 걷기 시작한 처음 3~4일, 몸이 적응하느라 힘들 때 빰쁠로나에서 하루 쉬어준 건 체력을 과하게 소모하지 않은 좋은 결정이었다. 다행히 발에 물집이 생기지는 않았는데, 물집이 생기면 걸을 때마다 아프기 때문에 물집은 생기면 바로 바늘로 터뜨리든지 쉬어서 발의 열기를 빼주어야 한다. 오늘은 정말 온몸이 피곤했다. 마을 입구의 공장 풍경이 피곤함을 보탠 것 같기도 하다.

에스뜨레야의 공립 알베르게에서 세요Sello라고 불리는 도장을 두 개나 찍었다. 빰쁠로나 이후로 나는 순례자 여권과 꼼뽀스뗄라 우니베르시따리아(산띠아고 순례자용 학위 증서를 위한 여권) 두 곳에 도장을 찍기 시작했다.

이라체 와이너리

8. 에스뜨레아 > 로스 아르고스Los Argos : 21.5km

오늘은 아일랜드인 카렌이 엄청나게 고대하던 곳, 바로 마르지 않는 와인 수도꼭지가 있는 곳을 지나는 날이다. 이라체 와이너리Bodegas Irache라는 와인 공장이 오늘의 까미노 여정에 있다. 이 와인 공장은 순례자들이 와인을 마실 수 있게 공장 문을 오픈해 놓는다고 한다. 벽면에 있는 수도꼭지를 틀면 와인이 계속 나온다니, 와인 애호가들에게는 환상의 공간이다. 카렌은 "그 와인 수도꼭지를 끼고 있을 테야."라며 노래를 불렀다. 별생각 없이 며칠 같이 걸었을 뿐인데, 그녀의 유쾌함, 큰 키, 붉은 곱슬머리, 경쾌한 말투가 지금까지 선명하게 떠오른다. 약국에 따라가서 스페인어로 이야기해준 것을 고마워하던 그 마음까지, 오랜 시간이 지났음에도 지워지지 않는다. 까미노에서 만난 좋은 사람들의 모습은 아직도 생생하게 그려진다. 물론 좋은 사람들만 있지는 않았는데, 안 좋은 사람들의 기억은 시간이 지나면서 점점 사라지고, 좋은 사람들의 기억은 바로 어제 만난 것처럼 머릿속에 계속해서 살아있다. 와인이 멈추지 않고 나오는 마법의 수도꼭지를 기대하던 카렌의 경쾌한 얼굴이 이토록 또렷하게 떠오르는 것이 신기하다.

에스뜨레야를 빠져나오면 바로 이라체에 도착한다. 도시가 끝나는 곳이라 분위기가 좀 어수선했다. 이 지역은 원래 이라체 수도원이 있었던 곳이라고 한다. 포도주의 샘 Fuente del Vino이라고 불리는 대망의 이라체 와이너리에 들렀다. 아침부터 와인을 마시다니! 천하의 알코올 중독자가 된 듯하지만, 세계에 하나뿐인 순례자를 위한 포도주의 샘을 그냥 지나치면 두고두고 후회하게 될 것 같았다. 오전 시간이라고 해도 그 와인 맛을 보기로 했다. 와인 수도꼭지에는 이라체라는 와인 브랜드의 이름과 까미노를 뜻하는 십자가 문양이 그려져 있었다. 다른 한쪽에는 순례자가 마실 수 있는 물이 나오는 수도꼭지도 있었다. 와인 수도꼭지를 열자 정말 와인이 시원스레 나왔다. 와인 잔이 없으니 가지고 있던 물병의 물을 비우고 와인을 담아 마셨다. 와인이 위를 쓸고 내려간다. 아침부터 취기가 확 오른다. 이 마법의 와인 수도꼭지에 더 머무르고 싶었지만 갈 길이 멀다.

아침부터 와인을 한잔 걸치고 나니 몸이 노곤해지며 걷기가 힘들었다. 오늘은 정말 걸음걸이에 속도가 나지 않았다. 알코올 때문에 다리 근육의 힘이 풀려버린 것이다. 그나마 다행인 건 오르막길이 없는 평지가 계속 이어진다는 거였다. 오늘의 여정을 함께하는 동행은 4명의 스페인 할아버지 그룹이었는데, 그 이유는 내 걸음걸이가 건장한 노인의 속도와 비슷해서였다. 4명의 할아버지는 겉모습만 노인이지 속은 마냥 소년이었다. 할아버지들은 어릴 적부터 친구들인데 까미노를 같이 걷자고 약속했던 모양이다. 작은 시골 마을 벤치에서 쉬고 있을 때 이 일행을 다시 만났는데 여러 번 마주치다 보니 나중에는 같이 기념사진도 찍는 사이가 되었다. 간혹 그 사진을 볼 때면 문득 드는 생각이, 4명 이상 되는 할머니 순례자 그룹은 본 적이 없다는 것이다. 아마 내가 나이가 들면 변화하는 시대에 따라 여럿이 함께 여행하는 할머니 그룹도 볼 수 있지 않을까? 나이 들어 같은 속도로 같은 취향의 여행을 할 수 있는 사람들이 얼마나 될까? 이 스페인 할아버지들은 정말 복 받은 노년이다.

오늘은 살아 계셨으면 저 할아버지들 나이였을 아버지 생각이 많이 났다. 아버지는 한국전쟁 직후 부모님을 다 잃으셨다. 그래서 13살 때부터는 친척 집을 전전하며 자랐다고 한다. 그리고 당시에는 노처녀, 노총각이던 어머니와 아버지가 무심한 중매로 만나, 두 번째 만남 만에 결혼하기로 했다고 한다.

아버지는 매우 성실한 분이셨다. 자식들을 먹여 살려야 한다는 생각 때문이었을까? 아버지가 쉬는 것을 본 적이 없다. 아버지는 택시 운전을 하셨는데 내가 어릴 때, 육교를 들이박는 큰 교통사고가 나서 병원에 입원하셨던 적이 있다. 그리고 다리가 좀 낫자 목발을 짚고 자식들에게 크리스찬 베일이 아역으로 나오는 영화 '태양의 제국'을 보여주고 함께 자장면을 먹은 기억이 난다. 그게 거의 유일한 기억일 정도로 아버지와의 추억은 극히 드물다. 집에서는 말이 없고 자식들과 부인이 떠드는 것을 싫어하셨다.

아버지는 63세에 심장마비로 돌아가셨다. 그때 나는 서울에서 직장생활을 했는데, 5월 어버이날 부산의 부모님 댁에 들렀을 때 아버지의 갈라진 발뒤꿈치를 보고 바셀린을 듬뿍 발라 드렸던 것이 살아 계셨을 때의 마지막 기억이다.

나는 무심한 아버지가 늘 서운했다. 남자 형제들이 엄청 폭력적이었는데 그거 하나 나를 도와주지 않았다. 아버지는 왜 그랬을까? 걷는 내내 깊은 곳에 가둬두었던 내 마음을 들여다보고 또 들여다봤다. 그리고 많이 울었다. 거대한 건초 더미가 반 고흐의 그림처럼 들판에 펼쳐진 지점을 지날 즈음, 아버지에 대한 서운한 마음은 깊은 연민으로 방향을 돌리고 있었다. 아버지는 나름대로 너무도 성실하게 최선을 다하신 거라는 생각이 가슴에서부터 번져왔다. 마음을 엄청나게 썼더니 오늘은 너무 힘들었다.

로스 아르고스에 도착하여 오후에는 정신을 좀 차렸다. 며칠 숙소를 같이 썼던 순례자 친구들에게 난을 그려서 선물로 주었다. 스페인 사람인 프란시스코 아저씨가 아주 좋아했다. 프란시스코는 내일 집으로 간다고 했다. 스페인 사람들은 시간이 날 때 틈틈이 까미노 구간을 걷는다.

와인으로 시작한 오늘의 여정은 마음과 발이 몹시 아픈 상태로 마무리되었다. 아침 와인은 순례자의 일정에 절대 포함하지 않는 걸로!

9. 로스 아르고스 > 비아나Viana : 18km

아침 8시 반에 출발해서 오후 1시경에 비아나Viana에 도착했다.

오늘도 어제에 이어서 아버지 생각이 났다. 생각에 생각을 거듭해보니 아버지는 최선을 다해 매일 일하며 그 나름의 정성으로 자식들을 키우셨다. 나는 다정하지 않다고 존경하지 않았지만 말이다. 13살 어린 나이에 부모님을 잃고 가족의 단란함이란 것 없이 자랐을 아버지의 처지가 안타깝게 생각되고 나니, 그 무뚝뚝한 성격도 이해되었다. 나에게는 태어나면서 자랄 때까지는 아버지라는 존재가 있었으니, 그 존재가 없는 것에 대한 상상이 힘들었다. 내 주변 지인들의 아버지와는 사뭇 다르다는 것만 알았다. 어릴 때는 여름이 되면 TV에서 피서철 풍경이라며 교통이 마비되는 고속도로 영상을 보여주는 것이 이해되지 않았다. 내가 고등학생 때인가? 사촌 언니가 여름 피서를 간다고 했다. 난생처음 외삼촌네 식구들 여름휴가에 끼어 계곡으로 물놀이를 따라갔다. 사람들이 말한 여름휴가가 이런 거구나 하고 그때 처음 알았다. 아버지는 가족과 함께 휴가를 간 적이 없었다. 맨날 일만 하고 돈만 벌다가 교통사고가 나서야 휴가처럼 쉰 것이 전부였다. 교통사고가 나면 어머니는 아버지를 탓했다. 교통사고 합의금 등에 쓰고 나면 생활비가 없으니 아버지를 닦달하여 부부싸움도 크게 일어나곤 했다. 내가 나이 들고 사회생활이라는 것도 하고 이만큼 세상 보는 눈이 다양해지고 나니, 한 인간으로서 아버지의 삶은 참 외롭고 고단했겠다 싶다. 아버지, 다음엔 제가 더 다정하게 대해 드릴게요.

길은 오르락내리락을 반복했다. 이제 걷는 것에 제법 익숙해졌는지, 오늘의 목적지인 비아나에 오후 1시 반쯤에 도착했다. 고속도로를 지나니 비아나가 보여서 나무 벤치에 자리를 잡고 드러누웠다. 파란 하늘이 내 시야에 가득 찼다. 드러누워서 지나가는 구름과 새를 보았다. 평화롭고 좋았다. 한참을 그러고 누웠다가 일어나니 몸이 아주 개운했다. 나무 벤치에게 이런 아름다운 휴식을 줘서 고맙다고 말하고 일어나 비아나로 다시 걸어갔다.

오늘 기거할 비아나의 숙소 이름은 알베르게 안드레스 무뇨스Alberge Andres Muñoz다. 휴식 시간인지 알베르게 문이 닫혀서 한참 기다렸는데도 문이 열리지 않았다. 문 앞에 적힌 전화번호로 여러 번 전화하니 웬걸, 잘생긴 스페인 경찰이 문을 열고 나온다. 경찰이 순례자 숙소를 지키는 대민 업무까지 하는구나 싶었다. 침대 자리를 배정받고 빨래를 하고 나니 개운하다. 인근에서 장을 봐와서 저녁을 해 먹었다. 그리고 미리 알아둔 마을 성당의 미사 시간에 맞춰 미사를 보고 숙소로 다시 돌아왔다.

내일은 일요일이다. 스페인의 슈퍼나 카페, 레스토랑은 일요일에 문을 닫는 곳이 많다. 그래서 휴일이나 주말이 오면 먹을거리를 미리 단단히 준비해 놓아야 한다. 내일 일정 중에는 맛난 음식을 먹을 수 있는 곳이 있기를.......

까미노를 걷다 보면 단순해진다. 걷고, 먹고, 빨래하고, 씻고, 자고, 다시 걷는다. 처음엔 그날 안에 목적지에 도착하는 것에만 급급했는데, 이런 일상을 일주일 이상 겪고 나니 마음에 여유가 생긴다. 이런 단순한 일상이 소중하다. 삶 속에 켜켜이 쌓이는 복잡한 감정들이 사라진다. 그리고 지금 현재 중요한 일에 모든 것이 집중되는 것이다. 내 두 발로 걷고 자연을 감상하고 길가에 누워서 아름다운 구름을 보는 것이 행복하다. 점점 까미노가 익숙해지고 있다. 감사하다. 더구나 오늘의 숙소는 넓고 깨끗하고 좋은 숙소여서 마음이 감사함으로 가득 차올랐다.

삐에드라 다리

10. 비아나 > 로그로뇨Logroño : 11km

좋은 공간을 선사한 비아나의 알베르게에서 9시쯤 출발해 로그로뇨Logroño까지 3시간 반을 걸었다. 로그로뇨는 맛있는 와인이 나는 리오하주의 주도이다. 큰 도시라 더 멀리 가지 않고 도시를 구경하기 위해 오늘의 도착지로 정했다.

엄청나게 웅장하고 멋진 석조 다리인 삐에드라 다리Puente de Piedra가 멀리 보이는 것을 보니 로그로뇨에 가까워지고 있다. 거대한 다리 아래로 물이 시원스럽게 흘러갔다. 주립 알베르게Alberge Municipal에 가야 하는데 오후 3시에 문을 열어서, 12시 반에 도착한 나는 가방을 메고 시내 구경을 하기로 했다.

두 개의 성당을 들렀는데, 다행히 시간이 맞아서 일요일 미사를 보았다. 한국에서는 미사 말미에 신부님이나 수녀님이 성체를 그냥 신도의 손에 주는데, 스페인에서는 신부님이 성체를 주면 신도가 입을 벌려 바로 받아먹는 것이었다. 그래서 적절한 타이밍이 필요하다. 내가 성체 받아먹는 것에 익숙하지 않아 신부님의 손가락이 입을 찔렀다. 웃음이 나는 것을 꾹 참았다. 지금 생각하면 정말 나는 세례도 받지 않고 잘도 성체를 받아먹었구나....... 성당의 도장을 순례자 여권과 순례자 학위 크리덴셜에 둘다 받고 기쁜 마음으로 성당을 나왔다.

근처 카페에 들러 늦은 점심 메뉴를 시켜 먹고, 책을 읽는데 몸이 으슬으슬 추워 왔다. 아마도 오늘 비를 맞고 걸어서 그런 듯하다. 숙소의 문은 늦게 열려서 오후 4시가 넘어서 숙소에 자리를 잡고 누웠다.

씻고 저녁을 먹으러 오후 7시가 넘어서 나갔는데 며칠 전부터 같이 걷게 되는 캐나다인 밥과 미국인 알을 다시 만났다. 반가움에 함께 저녁을 먹고 숙소로 돌아왔다. 중년의 호리호리한 체격의 밥은 작가이고, 덥수룩한 머리에 희끗희끗한 수염을 거하게 기른 알은 선원이었다고 했다.

그리고 독일 청년 루카스도 만났다. 루카스는 지금까지도 내 SNS 친구인데 키가 크고 주근깨가 가득한 20대 독일 청년이다. 비아나에서 이들을 만나지 않았으니, 아마도 이 순례자들은 로스 아르고스에서부터 로그로뇨까지 29km 를걸어왔나 보다. 내가 이틀 치 걸은 거리를 하루 만에 걸어온 이들이어서 그런지 그날의 숙소에서는 격한 코 고는 소리를 들어야 했다. 아, 가공할 코골이 순례자여! 나를 평화롭게 잠들게 하소서.

내일은 로그로뇨 대학에 들러서 스페인 순례자 학위 크리덴셜에 도장을 찍어야 한다. 꼭 성공하길!

세요_순례자 여권에 찍은 도장들

11. 로그로뇨 > 나바레떼Navarette : 13km

로그로뇨 대학은 까미노 루트에서 다소 떨어진 곳에 있었다. 리오하의 주도인 대도시답게 로그로뇨 대학Universidad de La Rioja은 엄청나게 컸다. 물어물어 학교의 도장을 받고 오늘의 목적지 나바레떼Navarrete로 향했다. 로그로뇨 시가지를 나와 가파른 언덕과 공장 지대를 지나, 리오하의 포도밭을 지났다. 나바레떼에 가까워져 오자 산 후안 데 아끄레 순례자 병원Hospital de San Juan de Acre의 유적지가 보였다. 스페인은 중세 시대부터 십자군 전쟁, 그리고 800년간의 아랍통치에서 벗어나기 위한 수단으로 가톨릭을 정신적·정치적 수단으로 활용했다. 그래서 까미노를 걷다 보면 그 역사의 증거를 확인하게 된다. 까미노 루트 중에 종종 만나게 되는 오래된 순례자 병원들이 그러하다. 어떤 병원의 터는 그토록 귀중한 역사를 담고 있으면서도 그냥 방치되다시피 하여 쓸쓸해 보였다. 하지만 다른 지역의 순례자 병원은 고급 호텔로 변모해서 그 공간이 현재까지 활용되고 있기도 하다. 지금은 쓸쓸해진 오래된 유적지를 보면 시간을 거슬러 당시의 사람들이 얼마나 분주하게 움직이고 있었을까 상상하게 된다.

병원을 상상한 탓이었을까? 어제부터 발이 아프더니 오늘은 기어이 발목이 퉁퉁 부어올랐다. 숙소에 먼저 도착한 스페인 순례자 루시아가 내 발의 부기를 내리기 위해 마사지를 해주었다. 스페인으로 출발하기 전에 필리핀에서도 코이카 봉사단 활동을 했는데 귀국 짐을 싸다가 발을 접질린 적이 있다. 인대가 늘어져서 3주간 반깁스를 했다. 그때는 다 나았다고 생각했던 발목이 다시 붓기 시작한 거다. 루시아가 그 이야기를 듣더니 "순례자들이 이런 다니까."라며 나의 무모함을 걱정했다. 본 지 몇 분이나 되었다고 이렇게 발도 주물러주고, 언니 같은 걱정까지 해주다니....... 참 다정한 스페인 아가씨다. 루시아는 하던 일을 접고 까미노를 걷기 시작했다고 한다. 마음의 정리가 필요했던 것 같다. 루시아도 나의 SNS 친구가 되어 종종

소식을 볼 수 있는데, 그녀의 고민이 잘 성장해 지금은 극단의 배우가 되었다.

나바레떼의 숙소에서는 정말 아무것도 못 하고 누워있기만 했다. 그런데 숙소에 모인 순례자들이 저녁 식사를 함께 요리하기 시작했다. 자전거로 까미노를 하루에 100km씩 돌파하고 있는 금발의 50대 스위스 아저씨와 회갈색 곱슬머리를 어깨까지 늘어트린 스페인 중년 세바스티앙을 포함에 8명이 식사를 했다. 세바스티앙은 오늘 무려 50km를 걸어왔다고 한다. 하루에 50km를 걷다니!! 다들 놀라서 그만의 비법을 여기저기서 묻기 시작했다. 세바스티앙은 별것 아니라는 듯이 자기는 짐도 거의 없고, 많이 걸어도 발바닥이 좀 아픈 게 다라고 했다. 까미노를 여러 번 완주해서 시간이 될 때면 이렇게 신나게 걷는다고! 엄청난 사람이다.

나는 저녁 식사에 아무런 보탬도 없이 그들이 해주는 맛난 저녁을 먹기만 했다. 순례자들은 숙소에서 만나면 마치 가족이 된 것처럼 챙겨준다. 겨우 오늘 오후에 만났는데 내가 아프다고 걱정해주고 직접 만든 밥까지 챙겨주다니! 고마운 마음으로 잠이 들었다. 내일은 발이 아프지 않길! 수고한 내 발아, 힘내 다오.

12. 나바레떼 > 나헤라Nájera : 18km

순례자 친구들의 정성 덕분인지 잘 쉬어준 발의 부기가 조금 가라앉았다. 날씨도 좋아서 멋진 풍경과 함께 걸을 수 있었다. 그리고! 턱선이 멋진 내 이상형, 모리스를 만났다.

나바레떼에서 벤토싸Ventosa로 향하는 산 안똔 언덕Alto de San Antón의 제일 높은 곳에 다다랐다. 모리스는 내리막이 시작되는 길 한쪽에 앉아 쉬고 있었다. 내 이상형의 턱 모양을 가진 멋진 독일 남자가 나에게 인사했다. 그는 내 속도보다 빠르게 프랑스길을 걷고 있는 듯했다. 이전 마을에서 내가 보지 못했던 순례자여서 그렇게 생각되었다. 내가 한국인이라고 하니까 모리스는 내 뒤에 '한 무더기의 한국인Bunch of Korean'이 오고 있다고 말했다. 그는 간식으로 먹던 땅콩 껍질을 흩날렸는데 그 모습마저 멋있었다. 나도 이제 막 높은 언덕길을 완주했으니, 그가 쉬던 자리에서 숨을 돌리기로 했다. 우리는 약간의 정보를 주고받고 헤어졌다. 그는 성큼성큼 먼저 걸어갔다.

나헤라Nájera로 가는 길은 굉장히 멋졌다. 아름다운 풍경을 감상하며 걷다가 불교 신자인 스페인 남자 호세를 만났다. 스페인 사람이 불교 신자라니! 이 지극한 가톨릭의 나라에서 목에 염주를 주렁주렁 매고 걷는 순례자라니! 호세와 인사를 나누며 걷고 있었는데 오른쪽 언덕을 보니 아까 만난 모리스가 가부좌를 틀고 명상하고 있었다. 호세도 그를 아는 모양이다. 자기도 좋은 자리에서 명상을 하겠다며 모리스가 있는 쪽으로 갔다. 속으로 '뭐야, 이 신기한 청년들은!'이라는 생각을 하면서 나는 다시 걸어갔다.

오늘의 목적지인 나헤라가 가까워져 오자 걷는 속도를 줄이고 주변 풍경을 즐기면서 천천히 걸었다. 모리스가 말한 한 무더기의 한국인을 만날 줄 알았는데, 만나지는 못했다.

기부제로 운영되는 나헤라의 알베르게에 도착해서 순례자들과 함께 장을 보았다. 어제 내 발을 주물러준 루시아가 스페인의 기본 요리인 또르띠야 데 파따따 Tortilla de Patata[1]를 만들었다. 우리는 올리브유와 소금, 식초Vinagre를 넣은 샐러드도 만들었다.

모리스가 말한 한 무더기의 한국인은 한국식 수면 바지를 입고 숙소에 먼저 도착해 있었다. 이들은 한국 음식을 하고 있어서, 주방이 인터내셔널 키친이 되었다. 우리 식탁엔 처음 생장에서 만났던 프랑스인과 루시아, 알, 루카스, 그리고 두 명의 이탈리아인과 내가 둘러앉아 훈훈한 저녁 식사를 하며 오늘 걸어온 길의 풍경에 대해서 수다를 떨었다.

점점 까미노가 풍성해진다. 여기에 함정이 하나 있는데, 사람이 많아지니 잘 때는 숙소가 코골이 오케스트라 공연장이 된다. 코 고는 소리가 그날의 다양한 사람들만큼이

---

1) 스페인식 감자 오믈렛으로 얇게 자른 감자를 켜켜이 쌓아 올리고 계란물을 풀어 두른다. 계란이 타지 않게 서서히 익히는 게 이 요리의 성패를 좌우한다. 여기에 치즈나 초리소 또는 참치를 기호에 따라 넣기도 한다.

나 다채롭고 우렁차게 들린다. 귀마개는 필수다.

쭉 뻗은 길을 앞서가는 순례자가 춤을 추며 걸어간다

13. 나헤라 > 산또 도밍고 데 라 깔사다

Santo Domingo de la Calzada : 21.5km

아침에 내 이상형 모리스가 먼저 출발했다. 그 후로 그를 만나지 못했다. 말이라도 실컷 걸어볼걸....... 하지만 SNS 상에서는 친구가 되어 그가 아프리카에서 멋진 풍경 사진을 올리는 것을 간간이 볼 수 있었다. 건장한 그는 경치 좋은 곳에 앉아 명상까지 하면서 성큼성큼 걸어서 산띠아고까지 갔으리라.

오늘도 걷는 내내 멋진 풍경이 펼쳐졌다. 이런 드넓은 평지를 걷는 것은 산이 많은 한국에서는 경험하기 힘든 일이다. 들판의 기다란 길 사이로 순례자들이 걸어간다. 머리에 헤어밴드를 한 여인은 음악을 들으며 가는지 신나게 지팡이를 흔들고 춤을 추면서 걸어간다. 아주 신이 났다.

덩달아 내 입술에도 미소가 지어졌다. 멋진 자연은 인간을 덩실덩실 춤추게 한다.

다른 순례자가 그러는데, 오늘 묵을 곳인 산또 도밍고 데 라 깔사다Santo Domingo de la Calzada에는 유명한 닭장이 있다고 했다. 이곳에 얽힌 전설도 있다. 중세에 산띠아고로 순례하던 독일 청년과 그의 부모가 있었다. 미모가 출중했던 그 청년은 그를 사모하던 여인의 모함으로 순례를 마치지 못하고 이 마을에서 죽었다고 한다. 그의 부모는 산띠아고 순례를 마치고 돌아가는 길에 아들이 살아있다는 계시를 들었다. 그래서 이 마을에 다시 들러 재판관에게 자기 아들이 살아있다는 신의 계시를 전했다. 마침 닭으로 된 요리를 먹고 있던 그 재판관은 코웃음을 치며 당신 아들이 살아있다면 내가 먹으려는 이 닭도 살아있겠다고 했다. 그러자 갑자기 접시에 있던 닭이 살아 움직였다는 것이다. 이 전설을 기리기 위해 대성당에서는 그 유명한 닭장을 두고 있다는 거다. 그 순례자는 닭이 울면 좋은 징조이니 들어보라고도 했다. 닭이 운다고? 내 머릿속에는 숙소 옆에서 닭이 울어 잠을 설치는 장면이 그려졌다. 믿기지 않는 전설 때문에 지금도 닭장을 유지하는 스페인의 풍습이 신기했다.

마이크로소프트의 윈도우XP 바탕화면[1] 같은 풍경들이 연신 펼쳐지는 하루였다. 마침내 산토 도밍고 데 라 깔사다의 공립 알베르게에 도착했다. 이곳 호스피탈레라는 매우 친절했다. 숙소 근처에는 오래전에 순례자의 병원이었지만, 지금은 유명한 오성급 호텔 파라도르Parador de Santo Domingo de la Calzada로 변모한 곳이 있었다. 이곳에서 호기를 부려 멋진 저녁을 먹으며 호텔을 구경하는 것이 오늘 내 계획이었다. 하지만 레스토랑 문이 열리려면 1시간 넘게 기다려야 해서 알베르게 옆에 있는 순례자 메뉴Menu del Peregrino[2]를 제공한다는 식당에 갔다. 저녁 식사는 근사했으며 테이블 와인이 무한정 제공되어서 맛난 와인을 원 없이 마시고는 알딸딸해져서 숙소로 돌아왔다. 내 이상형 모리스가 말한 '한 무더기의 한국인' 중 한 명인

1) 사진작가 찰스 오리어Charles O'Rear가 차 타고 지나다가 찍은 캘리포니아의 한 풍경사진은 마이크로소프트사의 윈도우XP 배경화면으로 사용되고 있다.
2) 순례자 메뉴Menu del Peregrino는 에피타이저, 본식, 디저트, 와인 또는 음료로 구성된 메뉴이다.

형빈 씨와 다른 한국인 순례자들을 만났다. 간만에 한국어를 한 것 같다.

내 몸에 번진 와인이 달아서일까? 숙소에서 엄청난 베드벅(빈대)에게 물렸다. 이불을 덮었던 부분만 빼고 손목과 턱이 벌레에게 물려 퉁퉁 부어서 엉망이 되었다. 시련은 이렇게 생각지도 못한 것으로부터 온다.

14. 산또 도밍고 데 라 깔사다
> 그라뇽Grañon : 6.5km

오늘은 내 인생에 영원히 남을 마법 같은 곳에 도착했다. 사실 이곳은 내가 도착하고 싶어서 도착한 곳이 아니다. 오늘은 20km를 넘게 걸을 생각이었다. 산또 도밍고 데 라 깔사다의 알베르게에서 나와 완만한 언덕을 지나면 작은 마을 그라뇽Grañon이 있었다. 금발 속눈썹의 독일 청년 루카스를 만났는데 그가 "그라뇽의 알베르게에 들르지 않으면 넌 정말 후회할 거야."라고 말했다. '그래? 그럼 어떤 알베르게인지 한번 알아봐 주지.'라는 생각으로 한 시간 정도 걸어서 그라뇽의 알베르게로 갔다. 이 알베르게는 마을 성당의 좁은 문을 지나 계단으로 올라가야 나온다. 성당의 뒤쪽을 개조해서 순례자들을 위한 숙소를 마련한 것이다. 목조로 개조된 이 숙소는 기부제로 운영되었다. 좁은 계단을 올라 도착하니 이탈리아인 호스피탈레로 발터Valter가 반겨주었다. 스페인 순례자인 루시아도 거기에 있었다. 발터는 내가 가려던 곳의 알베르게가 닫혀서 오늘은 여기서 묵는 게 낫다고 말했다. 알고 보니 원래 가려던 마을에 사는 한 청년이 죽었는데, 마을 사람들이 전부 그 장례식에 참석하느라 마을의 모든 것이 다 멈췄다고 한다. 그래서 알베르게도 열지 않았다고 한다.

오늘은 어쩔 수 없이 여기에 묵어야 했다. 지금 생각하면 이것은 하나의 은총인 순간이었다. 이탈리아 봉사자인 발터는 순례자들을 위해 멋진 이탈리아 음식을 준비했다. 나는 오후에 걸을 필요가 없으니 간만에 묵과 화선지를 꺼내어 선화를 그렸다. 발터가 그 순간을 사진으로 남겨주었는데, SNS에서 나를 태그해서 그날의 사진을 공개해주었다.

오래된 스페인 교회의 내부 구조를 볼 수 있는 그라뇽의 숙소는 정말 마법과 같았다. 무심코 그곳의 방명록을 읽었는데, 다들 한결같이 매직Magic(마법)을 언급한다.

내가 그림을 그리고 나니, 발터가 순례자들을 데리고 교회의 종탑으로 올라갔다. 그라뇽의 제일 높은 곳에 있는 종탑에 올라가니 온 세상이 다 내려다보인다. 땅을 잘 갈아 놓아 여러 겹의 다양한 흑갈색이 된 들판이 가지런히 펼쳐져 있었다. 스페인 땅의 아름다움이란!

발터가 저녁을 먹으려면 마을에 하나밖에 없는 빵집에 가서 빵을 사야 한다고 했다. 그런데 그냥 빵을 팔지 않으니 순례자들이 각자 나라의 언어로 된 노래를 불러야 한다고 일러줬다. 남자들은 알록달록한 가발을 쓰고 카니발 참석자처럼 분장한 채 숙소를 나섰다. 한국인 순례자인 나, 독일 청년 루카스, 독일 쌍둥이 자매, 프랑스인 순례자 한 명, 스페인 순례자 두 명이 발터와 함께 마을에 하나밖에 없는 빵집에 도착했다. 젊은 빵집 여주인은 노래가 시원찮으면 빵을 팔 수 없다며 오늘 거래의 기선을 잡았다. "우리가 빵을 사는 건데도요?"라고 묻고 싶었으나, 유일한 빵집의 힘은 막강해서 다들 빵을 먹으려면 노래를 당연히 잘 불러야 한다고 생각했다. 스페인의 작은 시골 마을에서 이내 글로벌한 노래 공연이 펼쳐졌다. 각자의 언어로 노래를 부르면 모두 정성껏 들어줬다. 생각지도 않은 작지만 즐거운 공연이었다. 다들 한 곡조씩 뽑고 빵을 받아서 한껏 기분이 좋아져서 숙소로 돌아왔다.

발터는 감사하게도 요리 잘하는 이탈리아 남자였다. 저녁 테이블에는 순례자들의 이름표까지 세팅되어 있고, 촛대에 초도 켜져 있어서 고급 레스토랑에 초대되어 온 듯한 느낌이었다. 이런 곳이 성당의 뒤쪽 공간이라니 믿기지 않았다. 각종 콩이 들어간 건강한 리소또와 샐러드가 나왔다. 물론 모두가 노래 불러서 획득한 소중한 빵도 나왔다. 웃음이 끊이지 않는 식사 시간을 보내면서, 아침에 루카스의 말을 듣기 정말 잘했다고 생각했다.

저녁 식사 후에는 발터가 오늘 특별한 비밀 모임을 시작할 테니 마음의 준비를 하고 움직이자고 했다. 숙소의 한쪽에 나 있는 문으로 들어가 불이 다 꺼진 공간 속에서 벽을 더듬으며 이동했다. 발터가 모두에게 눈을 감으라고 했다. 정말 무슨 미스터리한 비밀의식을 하는 기분이었다. 파울로 코엘로의 첫 번째 책 "순례자"에 등장하는 마스터의 의식이 아닐까 하는 상상의 나래가 머릿속에서 펼쳐졌다.
어둠 속에서 발터의 목소리가 들렸다. 까미노를 시작하게 된 나 자신을 생각하라고 했는데, 이 경건한 분위기 속에서 나는 두려움을 느꼈다. 시간이 조금 지나서 마침내 발터가 눈을 뜨라고 하자, 어둠 속에서 불이 켜졌다. "맙소사!" 우리는 그라뇽 성당 내부의 2층 발코니에 서 있었고, 성모상을 향해 조명이 비쳤다. 너무 신비한 경험이었다.
이건 발터가 순례자들을 위해 만든 이벤트다. 이제야 그라뇽 숙소 방명록에 남겨진 수많은 매직Magic이란 단어의 의미가 와 닿았다. 이런 걸 느끼려고 내가 까미노에 왔구나!
인생에서 신비로운 순간, 즐거운 순간, 영원히 남을 순간은 누군가의 선한 의지와 부지런한 움직임 덕분에 가능하다. 그라뇽의 숙소를 지키는 사람들은 이 작은 마을에 묵고 가는 순례자들을 위해 노래를 부르고 빵을 사는 이벤트를 계획하고, 정성스러운 저녁 식사를 대접했다. 돈을 많이 받으려고 그런 것이 아니다. 이곳을 찾는 사람들이 순례자 정신을 떠올리고, 그것을 지켜가게 하는 선의를 오롯이 보여주는 것이다. 그 멋진 경험을 하게 해준 이탈리아인 발터에게 나는 평생 감사하다.

우리는 다락방 형태로 된 3층 방에 매트리스를 펴고 오늘 있었던 즐거운 일들을 다시 떠올리며 잠을 청했다.

그라농 알베르게의 모습

아침에 차려진 순례자들을 위한 식사

그라뇽 알베르게의 호스피탈레로 발터

15. 그라뇽 > 비얌비스티아Villambistia : 23.5km

다음 날 아침 다락방에서 아래를 내려다보니, 안데르센 동화에 나오는 장면처럼 긴 나무 테이블 위에 아침 식사가 종류별로 세팅되어 있었다. 아바의 음악까지 흘러나왔다. 어린아이가 된 기분이었다. 동화 같은 아침 식사를 마치고 다음 마을로 출발하려고 작별 인사를 하는데 발터가 "산띠아고에 가면 나의 건강을 빌어줘."라고 했다. "당연하죠!"라고 나는 답했다. 마음속으로 무사히 산띠아고에 도착해서 그 부탁을 들어줄 수 있기를 기도했다.

마법의 숙소를 뒤로하고 서서히 마을을 벗어나기 시작했다. 다정한 이들을 두고 떠나야 하는 것이 아쉬웠지만, 가슴 벅찬 경험을 선물로 받고 길을 나서니 발걸음이 가벼웠다.

오늘은 독일인 이란성 쌍둥이 넬리와 루씨, 그리고 루카스 덕분에 비얌비스티아Villambistia까지 외롭지 않게 걸을 수 있었다. 방금 집에서 나온 것 같은 넬리와 루씨는 청바지를 입고 있었다. 이런저런 트레킹 장비도 없이 수학여행 가는 학생들 같은 차림이었다. 젊음이 그들 최고의 장비로 보였다. 며칠 말이 별로 없던 루카스는 또래의 같은 나라 친구들을 만나 기분이 한껏 들떠 있었다. 외진 곳에 있던 벤치에 앉아 함께 간식을 먹다가 루카스가 나에게 싸이를 아느냐고 물었다. 간식을 다 먹은 나는 배도 부른 김에 풀밭에 서서 '강남스타일'의 말춤을 보여주었더니 다들 너무나 좋아한다. 땀도 식히고 배도 채우고 시원하게 웃으니 좋았다.

오늘의 목적지인 비얌비스타에 도착하기 전에 저녁을 먹으려고 장을 봤다. 그런데 비얌비스타의 숙소에는 요리를 할 수 있는 부엌이 없었다. 숙소 옆에 식당이 붙어있어서 그랬나 보다. 넬리와 루씨는 식당에서 밥을 사 먹기엔 비용이 부담되었는지, 가지고 있던 파스타 재료를 식당 주방에 주며 약간의 돈을 주고 요리해달라고 했다. 이게 가능한 거래인가 싶었는데 코와 이마에 다양한 피어싱을 한 스페인 청년이 그렇게 해준다는 것이다. 잠시 기다리자 어마어마한 양의 파스타가 나왔다. 가난하고 배고픈 순례자를 이리 풍성하게 대접해주다니 고마웠다.

고생하는 발에게 찬사를……

16. 비얌비스티아 > 아헤스Agés : 21.5km

비얌비스티아에서 아헤스로 오는 길에는 산을 하나 넘어야 했다. 나는 등산에 매우 취약한 사람인데 매번 이렇게 큰 가방을 메고 산을 기어이 오르고 있다. 한국에 있었으면 절대로 하지 않을 일을 하는 나 자신이 새롭다. 까미노를 시작하고 10여 일이 지나면서 여기저기 통증이 느껴지던 내 몸의 약한 부분들이 걷는 것에 적응되었는지, 근육이 붙었는지, 예전처럼 정신없이 힘들지는 않았다. 오늘은 바람이 몹시 불었다. 얼굴과 손만 차갑지 몸은 계속 움직이고 있어서 땀이 난다. 대신 잠깐만 쉬어도 땀이 식어서 춥다.

오늘은 어제 만난 미국 청년 에반과 거의 함께 걸었다. 이 친구는 나와 눈높이가 같은 키에 걷는 속도도 비슷하다. 같이 걸으면서 이런저런 이야기를 하는데 간만에 영어 레

손을 받는 기분이다. 점심때는 산 후안 데 오르테가San Juan de Ortega에서 3.5유로짜리 어마어마한 크기의 샌드위치를 먹었다. 시골 지역이라 보통 2유로 가격인 보까디요 Bocadillo[1]를 두 배 가까이 되는 가격에 팔기 그랬던지 버터 조각을 넣은 3.5유로짜리 보까디요는 엄청나게 커서 아헤스까지 도착할 열량을 충분히 제공했다.

까미노를 걷다 보면 스페인식 샌드위치 보까디요를 질리게 먹을 수 있다. 바에서 간단한 식사로 팔기 때문에 어쩌다 보면 일주일 내내 보까디요를 먹기도 한다. 이 빵은 프랑스의 바게트처럼 겉 부분이 살짝 딱딱한데, 부드러운 밥을 먹는 것에 익숙한 한국인들은 처음에 입에 넣을 때 입천장이 잘 까인다. 한번 까이고 나면 자꾸 까여서 나중엔 입안이 헐기도 한다. 론세스바예스에서 만난 한국인 순례자에게 빵의 아랫면을 위로 해서 입에 넣으면 입천장이 잘 까이지 않는다고 말해줬는데, 그 친구 반응이 가관이었다. 그걸 왜 지금 말해주느냐는 것이다. 벌써 입천장

---

1) 스페인어로 보까디요Bocadillo는 샌드위치다. 빵을 반으로 자르고 안에 치즈나 버터, 초리소나 하몽, 야채를 넣으면 다양한 형태의 샌드위치가 된다.

이 다 까였다며 먹기 전해 말해주지 그랬냐며 나에게 핀잔을 주었다. 나는 속으로 말해줘도 이러는구나 하고 생각했다.

이날은 바람이 엄청나게 불었다. 거센 바람을 맞으며 아헤스에 도착할 때쯤, 누군가가 만들어 놓은 커다란 '네가 그리워I miss you' 사인을 보았다. 작은 조약돌로 I miss you 글자를 만든 다음, 그것을 중심으로 조약돌로 층층이 5m 크기의 큰 원을 만들어 놓았다. 누가 얼마나 그리웠으면 이렇게 노력이 필요한 사인을 바닥에 크게 만들어 놓았을까 싶었다. 그러고는 나도 한때 누군가를 끔찍하게, 정말 끔찍하게 그리워하긴 했었지...... 하는 생각을 했다. 다 부질없는 그리움도 있다. 나는 누군가와 헤어질 때 시간이 충분히 필요한 사람이었다. 첫 연애를 하고 차일 때, 영화 '봄날이 간다'의 명대사처럼 '사랑이 어떻게 변하니?'라고 생각했다. 사랑이 변하다니! 사랑은 변하지 않는 것인 줄 알던, 세상을 잘 모르던, 나 자신도 잘 모르던 나의 20대가 떠올랐다. 나는 이별을 받아들이지 못하고, 그때 당시 내 친구가 나에게 표현한 말처럼 패악을 부리고 다녔다. 나이가 들면서 연애도 여러 번 하고, 역마살에 실려 세상을 여기저기 싸돌아다니고 나니 사랑에 대한 다양한 정의를 이해할 줄 아는 사람이 되었다. 그나마 다행이다.

아헤스의 공립 알베르게가 비싸서 요가룸이 있는 산 후안 San Juan이라는 숙소에 묵었다. 저녁으로는 오징어튀김인 깔라마레스 프리또스Calamares fritos와 샐러드, 피망구이 Pimientos de padron에 맥주를 곁들여 먹었다. 정성 가득한 음식 덕에 온종일 거센 바람을 맞으며 걸었던 피로가 풀렸다.

내일은 까미노에서 만날 수 있는 대도시 부르고스에 도착한다. 현금으로 뽑아놓은 유로가 떨어져 가니 대도시인 부르고스에서 달러도 환전해야겠다.

I miss you

길에서 만난 양들

17. 아헤스 > 부르고스Burgos : 23km

아침에 잠깐 짬을 내어 숙소 주인 아나 아줌마에게 수묵화 한 점을 그려드리고 길을 나섰다. 돌산을 올라가며 많은 무리의 양 떼도 보고, 계속되는 돌길에 대한 욕을 좀 하다가 다시 미국 청년 에반이랑 비를 맞으며 걸었다. 안개가 자욱이 낀 길을 걸으니 신비로운 느낌이 들었다. 고요한 성격의 에반이 앞서 걸을 때면 뿌연 안개 위를 걸어가는 그 모습이 몽환적으로 느껴졌다.

부르고스에 가려면 부르고스 비행장을 지나야 한다. 그 때문에 도시로 들어가는 초입 길이 6km나 되어 목적지에 도착할 듯 도착하지 않는 상황이 이어졌다. 대도시일수록 그 반경이 넓어서 숙소가 있는 구시가지까지 걸어가는 일이 더 답답하고 길게 느껴진다. 자연을 보면서 걸을 때의 여유로움이 사라지는 것이다. 화장실까지 가고 싶을 때는 더욱 난감하다. 산이나 들판에서는 마음만 먹으면 자연의 어느 장소를 그냥 내 화장실로 삼으면 된다. 전에 까미노를 마친 미국인 순례자를 만났는데 그녀가 까미노 이후 자신의 변화는 어디서든 일을 볼 수 있게 된 것이라고 했다. 자연에서 내 몸의 분비물을 내보내는 것도 도시 생활만 하던 사람에게는 새로운 도전이다.

결국 에반과 나는 숙소에 도착하기 전에 부르고스 시내의 한 바에 들러서 맥주를 한잔하며 쉬었다. 에반은 정말 순한 미국 청년이었다. 키도 나와 비슷하고 걷는 속도도 비슷해서 며칠 같이 걸었는데 쉬는 시간이나 장소 등을 정할 때 배려심이 깊었다.

우리는 기운을 차려서 오늘의 숙소가 있는 부르고스의 구시가지에 접어들었다. 스페인의 중세 시대로 되돌아간 듯 구시가지는 고풍스럽게 웅장하고 아름다웠다. 부르고스의 공립 알베르게는 부르고스 대성당 근처에 있었다. 새로 내부를 수리했는지 이제까지 내가 본 공립 알베르게 중에 제일 깔끔하고 침대도 현대식이었다. 가장 큰 장점은 침대가 독립적인 공간이 되도록 디자인된 점이었다. 오늘은 간만에 편히 잘 수 있을 것 같다. 이곳 호스피탈레로 할아버지 안드레스도 봉사자였는데 엄청 친절하셔서 동네 안내까지 다 해주셨다. 내가 내일 하루 더 묵을 수 있냐고 하니까 사람이 많은 성수기에는 안 되지만 지금은 사람이 별로 없어서 여유가 있으니 더 묵어도 된다고 하셨다. 최근에는 공립 알베르게의 규칙이 생겨서 하루 더 묵을 수 있냐고 하면 단칼에 안 된다고 한다. 그럴 때는 사설 알베르게로 가면 된다.

저녁에는 루카스, 에반과 함께 주변의 바 투어를 했다. 여기저기 돌아다니면서 핀초스와 와인, 맥주와 핫도그를 먹었다. 내가 처음 루카스를 만났을 때 숙취가 덜 깬 모습이었는데, 그가 그 전날에도 이렇게 스페인의 바들을 즐기고 다녀서 그랬나 싶었다. 스페인 바에서는 사람들이 자리에 앉지도 않고 서서 손짓으로 바텐더의 시선을 끌더니 경쟁하듯이 주문했다. 주문도 타이밍을 잘 잡아야 할 수 있다. 그렇게 주문한 음식을 받으면 벽에 붙은 10~20cm쯤 되는 나무 테이블에 올려놓고 서서 먹고 마시며 한참 수다를 꽃피운다. 한번은 신기한 헤어스타일을 한 스페인 남자가 순례자냐고 묻더니, 자기가 예전에 조랑말을 타고 까미노를 완성했던 사진을 보여준다. 사진 속에는 짐을 실은 조랑말, 강아지와 함께 환하게 웃는 그의 젊은 모습이 담겨 있었다. 조랑말과 함께하는 순례라니 너무 멋지다.

간혹 반려견과 함께 까미노를 걷는 사람들이 있다. 전에 강아지와 함께 순례하던 사람이 있었는데 한 알베르게에서는 강아지를 숙소 안에 못 들인다고 했단다. 그래서 강아지를 몰래 데리고 들어갔는데, 호스피탈레로가 방을 점검하러 들르자 그 방에 있는 모든 사람이 강아지 숨겨주기에 숨죽여 동참했다는 이야기를 들었다. 신기하게도 그 강아지 역시 그 분위기를 감지했는지 침대 밑에 꼼짝 않고 숨어있었다고 한다.

활달한 성격에 큰 키, 금발 눈썹을 가진 독일 청년 루카스는 오늘까지만 까미노를 걷고 내일은 독일로 돌아가야 한다고 했다. 나는 내일 부르고스에 하루 더 묵으니 에반과도 내일이면 헤어져야 한다. 우리는 송별 파티처럼 신나게 부르고스의 밤을 즐기고 숙소로 돌아왔다.

부르고스로 들어가는 길에 만난 사람들

부르고스 대성당

18. 부르고스

아침 8시에 알베르게를 나와 커피숍에서 아침을 먹고 순례자 여권에 도장도 찍었다. 순한 미국 청년 에반은 다음 행선지로 출발했다. 안녕! 나랑 보폭이 같은 평온한 청년! 오늘은 반드시 내가 가진 미국 달러를 은행에서 유로로 환전해야 한다. 시간을 거슬러 생각해보면 이건 정말 바보 같은 행동이었다. 스페인으로 오기 전에 갖고 있던 달러를 한국에서 그냥 달러 통장에 넣고, 나는 그 카드만 들고 왔어야 했다. 환전 시스템을 너무나 한국식으로만 생각하고 있어서 오늘의 황당한 고난이 시작되었다. 나는 당연히 은행에서도 환전을 해줄 줄 알았으나, 스페인 은행은 해당 은행에 계좌가 없는 사람에게는 환전을 해주지 않았다. 게다가 환전소는 수수료를 엄청나게 떼어가기 때문에 여기저기 찾으며 계산기도 두드려야 했다. 물론 다른 한국 통장의 카드도 가져오긴 했지만, 많은 금액의 미국 달러를 들고 돌아다니는 것도 부담이 되는 상황이었다. 환전이 안 된다는 말을 들은 나는 부르고스 은행 Caja de Burgos 앞에서 어쩔 줄 몰라 난감해하고 있었다. 다급했던 나는 다짜고짜 은행으로 들어가는 양복 입은 스페인 중년 아저씨에게 환전을 도와줄 수 있냐고 물었다. 딱 봐도 순례자 차림인 나를 보던 그는 미간을 약간 찌푸리더니 내 부탁을 들어주었다. 이 멋진 중년 남성의 이름은 미겔Miguel이다. 내 까미노의 환전 천사. 이름도 성경에 나오는 대천사 미겔이 아닌가! 이 은행에 계좌가 있었던 미겔이 자신의 이름으로 내 달러를 환전해줬다. 나는 정말 고마운 마음에 뭐라도 주려고 했으나, 이 천사 같은 분은 손사래를 치며 뭘 이런 걸로 선물씩이나 하면서 나의 황송한 인사 외에는 받은 것 없이 재빨리 사라졌다.

우여곡절 끝에 사용할 수 있는 돈이 생긴 나는 산 니콜라스 성당에 잠시 들렀다가 점심을 먹었다. 홍합구이와 함께 마늘 수프Sopa de Ajo를 먹었는데 정말 맛났다. 낮에는 공립 알베르게가 청소하는 시간이라 닫혀있어서 문이 열리기를 기다리는 동안 부르고스의 도서관에서 인터넷 검색도 하고 일기도 정리했다. 무선 인터넷 와이파이를 투어리즘 사무소에서 등록해 놓았는데 공공 인터넷이라 그런지 도서관에서도 무리 없이 사용할 수 있었다.

알베르게의 문이 열리자 들어가서 잠시 휴식을 취한 뒤 대망의 부르고스 대성당Santa Iglesia Catedral Basílica Metropolitana de Santa María de Burgos을 찾았다. 겉에서만 봐도 부르고스 대성당은 매우 웅장했다. 아치와 지붕이 화려해서 올려다보는 내내 입이 다물어지지 않았다. 세비야와 톨레도의 대성당에 이어서 스페인에서 3번째로 큰 성당이라고 한다. 성당에 들어서니 입이 더 떡 벌어지게 화려하면서 오랜 세월의 깊이가 느껴진다. 중앙 제대에 빼곡히 세워진 금으로 된 성인의 조각상들이 성당 내부를 내려다보고 있었다. 이 성당 안에는 11세기 스페인의 영웅 엘 시드El Cid의 무덤이 있다고 했다. '어디서 많이 들어본 이름인데?' 하고 생각해보니 대학 때 불문학 수업 시간에 낑낑거리면서 번역하던 꼬르네이유Corneille의 희곡, '르 시드Le Cid'가 떠올랐다. 불문과를 신기하게도 졸업하긴 했지만, 방송국 활동과 학생회 일을 하러 다니느라 수업을 거의 들은 적이 없다. 겨우 몇 수업 챙겨 들은 것 중 하나인 '르 시드', 그 실존 인물의 무덤이 여기에 있다니!

넓은 성당 내부를 꼼꼼히 다 보고 나와 맞은편 바에서 식사를 하고 숙소로 돌아왔다. 오늘은 며칠 전 그라뇽에서 헤어진 루시아를 다시 만났다. 어찌나 반갑던지 길에서 부둥켜안고 인사했다. 밤이 되어 더 이상 도착할 순례자가 없을 즈음 안드레스 할아버지가 순례자들의 인원과 침대를 확인하고 갔다. 마치 집에 놀러 온 자녀들을 챙기듯이 둘러보더니 가신다. 배려받는 느낌, 아늑한 분위기가 느껴진다. 내일은 까미노의 길에 다시 서야 한다.

19. 부르고스 > 오르니요스 델 까미노

Hornillos del Camino : 23km

대도시 부르고스 이후부터는 메세타Meseta의 시작이다. 안내 책자에서는 지루하고 삭막한 여정이 될 거라고 겁을 주었다. '메세타'는 높은 지대의 모습이 넓고 평탄한 테이블과 비슷하다는 뜻에서 온 말이다. '이름을 너무 잘 지었는데?' 하고 생각했다. 누군가 그 길이 험할 거라고 말하면 지레 걱정부터 된다. 하지만 이 길은 지금까지 지나온 길과 비교하면 오히려 나에게 딱 맞는 길이었다. 눈으로 보고 직접 경험하는 것을 좋아하는 나는 우리나라의 풍경과는 다르게 산 하나 보이지 않고 밀밭이 좌우로 끝없이 펼쳐진 이국적인 이 길이 좋았다.

부르고스를 나올 때 부르고스 대학Universidad de Burgos에 들러서 순례자 학위용 여권에 도장을 찍었다. 학교 교정은 오래된 건물과 현대식 건물이 조화롭게 어우러져 있었다. 이런 데서 공부하면 얼마나 좋을까? 갈 길이 멀어서 학교 탐색은 못 했지만 대학의 도장으로 위안을 받고 길을 나섰다.

안개 속을 걷고 또 걸었다. 오늘은 마을이 적어서 수도꼭지에서 물을 받기도 힘들었다. 중간 마을 따르다호스 Tardajos에 도착했지만 아무도 없고 매우 추웠다. 어제 부르고스에 있을 때만 해도 번잡스럽게 할 일이 많았는데, 몇 킬로를 벗어나니 삭막하고 부족한 것 투성이다.

마을 교회 앞에서 도시락으로 준비한 빵을 점심으로 먹었다. 다음 마을을 숙소로 할까 고민했는데 의외로 다음 마을은 아주 가까웠다. 길을 걷다가 미국인 알을 만났다. 따르다호스에 있는 카페에서 커피를 마시는데 순례자를 위한 목걸이를 선물로 받았다. 까미노를 걸으면 순례자에게 호의적인 스페인 사람들을 많이 만나게 된다. 그들은 종교적 이유이든 다른 이유든 소소한 선행으로 순례자를 응원한다. 그 대표적인 응원이 순례자에게 "부엔 까미노!Buen Camino!"라고 인사해 주는 것이다.

라베 데 라스 깔사다스Rabé de las Calzadas 마을의 아름다운 언덕에 앉아 햇빛을 받고 쉬었는데도 한낮이라 나는 7.8km를 더 걷기로 마음먹었다. 햇빛이 내 몸에 기운을 불어넣었는지, 그 주변에 누가 정성스레 돌본 꽃들이 있어서 그랬는지 더 걸어갈 기운이 났다.

삭막한 길을 한참 걷다가 마침내 오르막길을 넘어서자 좁은 황색길 사이로 내가 오늘 묵을 마을 오르니요스 델 까미노Hornillos del Camino가 나타났다. '까미노의 화덕들'이라니, 마을 이름이 특이하다. 내가 도착한 시간은 3시 40분쯤이었는데 스페인의 낮잠 시간인 시에스타Siesta가 끝날 무렵이라 마을은 인기척 하나 없이 조용하다. 흑색 벽돌집들 사이로 오래된 돌길을 거닐고 있으니 중세 시대의 순례자가 된 기분이다.

마을에 하나뿐인 공립 알베르게에 도착했는데 문이 잠겨 있다. 옆 가게에 있는 사람에게 숙소가 언제 여느냐고 물으니 이 마을 시장 부인이 열쇠를 가지고 와서 문을 열어준다. 어제 묵은 순례자가 없었는지 냉기가 가득한 실내를 데우기 위해 벽난로에 나무 장작을 넣고 불을 지펴주

신다. 중세 시대 건물 같은 곳에서 현대식 난방 시설이 아닌 벽난로에 불을 붙여 집을 데우다니! 이방인인 나는 모든 게 다 신기하다.

저녁 식사는 문을 닫은 바에서 겨우 인스턴트 음식을 사서 숙소에서 데워 먹었는데 시장 부인이 안쓰러웠는지 와인을 가져다주셨다. 이 넓은 숙소에 나 혼자 앉아 와인을 마시며 보름달을 바라보았다. 스페인의 낯선 시골 마을에서 휘영청 뜬 둥근 달을 혼자 보고 있으니 기분이 묘했다. 나는 지금 어디에 있는 걸까? 내 인생은 어디로 흘러가는 걸까? 시공간이 멈춘 듯한 질문이 진공 속에 있는 것 같다. 그런데도 두렵지는 않았다. 그냥 고요하고 아늑한 느낌이었다. 좋았다.

20. 오르니요스 델 까미노
> 까스뜨로헤리스Castrojeriz : 21km

아침에 눈을 뜨니 사방이 눈으로 덮여 있었다. 밤에 벽난로의 나무 장작이 다 타고 난 뒤에는 몹시 추웠는데 눈이 온 것도 한몫했다. 꾸물거리다가 9시 반이 되어서야 숙소에서 출발했다. 정말 눈이 엄청나게 내리기 시작했다. 부산 사람인 나는 눈을 보면 마냥 좋다. 한국의 따뜻한 남쪽 해안 도시 부산에서 눈을 보는 일은 매우 드물기 때문이다. 걸으면 열이 나니까 추위는 개의치 않았다. 사방이 하얗게 눈으로 덮였다. 아름다웠다.

쭈욱 뻗은 눈 덮인 네 갈래 길이 나왔다. 길은 모두 다 예뻐 보였다. 내가 헤매지 않게 노란 까미노 화살 표식이 보인다. 어젯밤에 생각했던 '내 인생은 어디로 가는 걸까?'라는 질문을 떠올리며 길의 표식을 보자 울컥 눈물이 났다. 내 인생의 갈림길에도 이렇게 명쾌한 노란 화살표가 있다면...... 그럼 나는 주저함이 없겠지.......

눈 쌓인 하얀 들판을 가로질러 온타나스Hontanas에 도착해서 스페인식 샌드위치 보까디요를 우걱우걱 먹었다. 눈에 젖은 길은 오후가 되자 얼음덩이와 흙이 뒤엉켜 진흙탕이 되기 시작했다. 그런데 길 반대편에서 누가 자전거를 타지 않고 끌고 오고 있었다. 키가 큰 자전거 순례자는 자신이 독일인이라고 했다. 날도 춥고 배도 고픈데 자전거까지 고장 나서 고쳐야 한다며, 자기에게 커피 한 잔 사 먹을 돈이라도 줄 수 있는지 물었다. 딱해 보이는 그에게 커피값을 건넸다. 간혹 산띠아고에서 시작해 목적지로 가는 순례자도 있다. 내가 처음 피레네산맥을 건너는 날에도 그런 순례자를 본 기억이 있다. 수염이 더부룩하고 배가 나온 할아버지였는데 흰머리를 휘날리며 밝은 표정으로 생장을 향해 성큼성큼 걸어갔다. 그는 산띠아고에서 출발해 800km 가까이 되는 까미노를 다 지나온 사람이었다. 그의 표정을 보며 내가 산띠아고에 도착하면 저런 표정일까 하고 생각했다.

오늘 내가 길에서 만난 사람은 아까 자전거가 고장 나서 끌고 오던 독일 순례자가 유일했다. 눈이 소복하게 내리는 길을 처음 걸을 때는 좋았는데 길이 젖으니 춥고 지치기 시작했다.

중세 시대 순례자들의 병원이자 수도원이었다는 산 안똔San Anton의 아치문을 지났다. 전에 TV 프로그램 '신비한 TV 서프라이즈'에서 본 이야기가 생각났다. 중세 시대에 손과 발이 검게 변해 썩어가는 병이 북유럽 전역에 퍼졌는데 병자들이 죽기 전에 신에게 기도하기 위해 스페인 순례를 하면서 나았다는 것이다. 그 병은 특정한 보리를 주식으로 꾸준히 먹으면 생기는데, 순례를 하면서 그 보리로 만든 빵을 먹지 않으니 자연스레 병이 나은 것이다. 산 안똔 수도원은 그때 병에 걸린 순례자들을 치료하고, 음식과 숙소도 제공해주었다고 한다. 이런 유명한 곳을 내가 지나다니…… 그런데 소중한 역사를 담은 장소가 아무런 보호 시설 없이 그냥 길에 방치되어 있다. 옛 수도원의 아치가 있는 길에는 자동차도로까지 나 있어서 더 의아했다. 이 기념비적인 공간을 지나 계속 걸으니 오늘의 목적지 까스뜨로헤리스Castrojeriz가 보였다. 굉장히 멋진 중세 도시 느낌이다. 산따 마리아 델 만자노Santa Maria del Manzano 성당의 아름다운 종을 감상한 뒤, 까스뜨로헤리스의 알베르게에 도착했다. 다행히 오늘은 적당한 시간에 숙소에 도착해서 눈 온 후의 멋진 노을을 보는 여유도 생겼다. 동네 성당의 저녁 미사에 들렀다가 식당에서 식사하려 했지만, 저녁 식사 제공은 8시라고 했다. 그때까지는 도저히 허기를 참을 수 없었다. 근처 슈퍼에서 샐러드 거리를 사 와서 음식을 만들어 그날의 순례자들과 나눠 먹었다. 내 까미노의 숨겨진 적은 허기짐이다. 실은 평소에도 허기가 지면 예민해진다. 아니 예민해지다 못해 사나워진다. 대학 때 알던 한 선배가 남자 친구와 심하게 다투고 집에 온 날 큰 양푼에 밥과 반찬을 마구 넣고 비벼 먹기 시작했는데, 화가 눈 녹듯이 풀리더란다. 나는 그 심정을 정말, 완전, 잘 이해한다.

저녁을 먹고 숙소에 있는 방명록을 읽는데 며칠 전 여기에 묵은 카렌과 안느 마리의 글이 보인다. 보고 싶어, 친구들!

까미노에서 만날 수 있는 오래된 교회의 종탑

산 안똔의 아치문 아래로 자동차 도로가 있다

21. 까스뜨로헤리스 > 프로미스타Frómista : 23km

알베르게에서 주는 아침을 먹고 출발해 높은 언덕을 지났다. 그동안 내가 너무 무작정 걸었나 싶어서 오늘은 심호흡과 스틱 사용 연습을 하며 걸었다. 길에서 만난 체코 사람이 자기 인생에 대해 글을 쓴 종이를 나눠주었다. 별로 받고 싶지 않았는데 그는 만나는 사람마다 종이를 나눠주었다. 종이에 직접 손으로 쓴 글을 나눠주는 행동은 정말 오랜만에 본다.

작은 마을에 들러 뜨거운 수프를 점심으로 먹었다. 며칠째 미국인 알과 같이 걷는 일이 종종 있는데 그는 무릎이 아파서인지 절뚝거리며 걸었다. 배 타는 일을 했다는 알을 처음 봤을 때는 "자본론"의 저자 마르크스의 그 자유분방한 회갈색 헤어스타일과 풍채를 닮았다고 생각했다. 하지만 프롤레타리아 계급을 응원할 것 같은 인성은 아니었다. 그는 코골이가 심해서 웬만하면 같은 숙소를 쓰고 싶은 생각이 들지 않았다. 특히 나를 불편하게 했던 점은 내가 자기 여행 가이드나 통역사가 아님에도 나에게 까미노의 루트나 방향, 다음 일정이나 동네의 스페인 표식 같은 것을 자꾸 일일이 물어본다는 거였다. 며칠째 이런 일이 반복되니 짜증이 솟구쳤다. '내가 이 멀리까지, 이 귀한 길을 걸으러 와서 당신 시중이나 들어야겠느냐?'라며 혼잣말을 하다가 스트레스 해소를 위해 걸으며 욕을 하는 지경까지 이르게 되었다. '이 귀한 곳에서 왜 난 저런 사람을 만나는 걸까? 내 특별한 순간에 왜!'라는 분노가 일어났다. 일상에서도 나의 친절을 끊임없이 요구하는 사람들 때문에 인간관계가 지겨웠는데, 여기까지 와서 이러한 마음의 번뇌를 겪어야 한다니 화가 났다.

보아디야 델 까미노Boadilla del Camino라는 마을에 도착했을 때는 벌써 오후 4시가 넘었다. 그런데 알이 여기서 머무를 듯했다. 나는 쉬고 싶었지만, 그와 다른 숙소에 머물러야 이 불편한 동행과 멀어질 수 있다는 생각에 6km를 더 걷기로 결심했다. 그러려면 날이 어두워지기 전에 다음 마을에 도착해야 한다. 다음 마을로 가려면 긴 운하를 따라 한참을 걸어야 했다. 가는 중에 해가 질까 봐 일직선인 운하 길을 거의 뛰다시피 걸었다. 해가 지면 까미노 표식이 보이지 않기 때문에 길을 잃을 가능성이 높다. 그래서 보통 해가 지기 전에 숙소가 있는 마을에 도착해야 안전하다. 그런데 나는 무리를 한 까닭에 결국 해가 뉘엿뉘엿 져서 어두웠을 때 프로미스타Frómista에 도착했다.

이곳의 공립 알베르게는 정말 엉망이었다. 까미노 일정 중 최악의 숙소로 기억된다. 추운데 난방을 하나도 해주지 않았다. 다른 순례자들 말로는, 이곳에서 일하는 직원의 친인척이 근처 사립 알베르게를 운영하는데, 거기로 순례자를 보내기 위해 여기서는 아무런 편의도 제공하지 않고 더 나은 곳이 있다며 순례자들을 사립 알베르게로 안내한다는 것이다. 그런데 여기 숙소의 방명록을 보니 어제 카렌과 다른 친구들이 다녀갔다고 적혀있었다. 친구들이 묵었다면 나도 여기에 묵는 게 맞겠다는 생각이 들었다.

나는 따뜻하게 샤워하고 맛난 저녁을 먹고 싶었다. 하지만 물은 차가웠고, 늦은 저녁이라서 가지고 있는 식재료로 끼니를 대충 해결할 수밖에 없었다. 한겨울이 시작되는데 난로도 켜주지 않아 침대가 있는 방은 냉골이었다. 침낭도 가지고 오지 않았는데, 이 추운 밤을 어떻게 보낸단 말인가? 나는 플라스틱 물병을 구해 따뜻한 물을 채워서 침구 밑에 두고 침대를 데웠다. 견딜 만한 온기가 돌자 나는 침대에 들었는데, 몇몇 순례자들은 거실로 나갔다. 그리고 숙소에서 찾은 신문과 갖가지 태울 것을 빈 벽난로에 넣고 불을 지핀 다음 그 옆 소파에서 잠을 청했다. 추우니 유독 외로움이 밀려왔다. "좋은 사람들을 만나게 해주세요."라고 중얼거리며 잠들었다.

22. 프로미스타 > 까리온 데 로스 꼰데스

Carrion de los Condes : 20km

최악의 숙소 프로미스타의 공립 알베르게를 나왔다. 공립 알베르게는 호스피탈레로 협회의 봉사자들이 돌아가며 일하기도 하지만 이렇게 그냥 동네 사람이 적은 임금을 받고 운영하기도 한다. 한 사람의 마음 씀씀이가 얼마나 많은 순례자의 평안을 보장하는지 똑똑히 알게 된 숙소였다. 한겨울이 시작되는 날 추운 곳에서 자고 나니 마음도 좀 울적해졌다. 노래를 부르면 기분이 좀 나아질까 하고 노래를 불렀지만, 잘못된 선곡으로 인해 더욱 슬퍼졌다. 내가 부른 노래는 민요 '사랑가'였다. 대학 다닐 때 배운 노래다.

사 사랑을 하려면
요 요렇게 한단다
요내 사랑 변치 말자
굳게 굳게 다진 사랑
어화둥둥 내 사랑
둥당가 둥당가 둥기 둥기 내 사랑
너를 보면 신바람이 절로 나고
너를 마 만나면 아이가이가 두둥실 좋을시고

당 당신은 내 사랑
아 알뜰한 내 사랑
일편단심 변치 말자
굳게 굳게 다진 사랑
어화둥둥 내 사랑
둥당가 둥당가 둥기 둥기 내 사랑
꽃과 나비 너울너울 춤을 추고
우리네 사 사랑은 아이가이가 두둥실 좋을시고

\- 사랑가 -

이 노래는 꺾음과 추임새가 있어서 잘 부르면 흥이 절로 난다. 우박이 떨어지는 피레네산을 걸어 내려올 때도 나를 구원해준 노래였는데, 오늘은 '요내 사랑 변치 말자'에서 눈물이 났다. 사랑이 변한다는 것을 극복해야 하는 거였다.

오늘은 평지를 오래 걸었는데, 도착하는 마을의 이름마다 평지를 뜻하는 깜뽀스Campos가 붙어 있을 정도로 평탄했다. 그런데 어깨가 무척 아팠다.

비야까사르 데 시르가Villalcázar de Sirga에 도착해 바에서 커피를 한 잔 마신 다음 마을 광장으로 갔다. 그곳에는 고딕 양식의 신기한 중세 건축물이 우뚝 서 있었다. 안내문을 읽어 보니 여기는 템플 기사단이 만든 블랑까 산따 마리아 성당Santa María la Blanca이란다. 영화에서나 보던 템플 기사단의 유적지라니! 머릿속으로 가슴에 붉은 십자가를 하고 투구를 쓴 기사단이 이곳을 지나다니는 장면을 상상해 보았다. 신기하다. 템플 기사단은 사라지고 동양의 이방인이 이렇게 그들이 사라진 건물을 구경하고 있다. 어느새 오전 내내 울적했던 마음이 사라졌다. 가방을 영차 다시 둘러메고 오늘의 목적지 까리온 데 로스 꼰데스Carrion de los Condes로 향했다.

마을에 도착해 '성스러운 영혼'이라는 뜻의 산또 에스피리뚜Santo Espiritu라는 숙소에 짐을 풀었다. 숙소에는 어제까지 본 적 없는 세 명의 청년이 있었다. 지쳐 있는 나에게 그들은 스파게티를 할 건데 같이 먹겠냐고 물었다. 고맙게도 재료비만 같이 분담하자고 하면서 저녁을 고민하는 나의 수고를 덜어주었다. 이탈리아 청년 야요, 프랑스 청년 에르, 발음하기 힘든 이름의 독일 청년이 한 그룹을 이루고 있었다. 각국 청년의 신기한 조합이었다. 내가 여기 도착하는 길에 템플 기사단이 있던 건축물을 봤는데 너무 멋졌다고 했더니 야요가 그런 게 있었냐며 그냥 지나쳐서 안타깝다고 했다. 그러자 에르가 "다시 걸어가서 보고 오지 그래?"라며 그를 놀린다. 뭐냐, 이 밝고 유쾌한 사람들은! 웃고 떠들며 저녁 식사를 마치고 함께 설거지도 했다. 어제와 완전히 다른 하루가 또 지나간다.

23. 까리온 데 로스 꼰데스
> 깔사디야 데 라 꾸에싸Calzadilla de la Cueza : 17.5km

집 떠나온 지 어언 30일째가 되는 날이다.

오늘 아침엔 길이 얼어서 해가 뜨기 시작하자 들판에 아지랑이가 피어올랐다. 얼어붙은 길에 핀 작은 꽃이 서리에 둘러싸여 햇살에 반짝이기 시작한다.

대지의 관능!

대학 다닐 때, 딴짓하고 다니느라 많이 출석하지도 않았던 또 다른 불문학 수업 시간이 갑자기 떠올랐다. 프랑스 고전문학을 읽으면서 번역하는 수업이었는데, 주인공이 험난한 일을 겪고 마지막에 바라보는 자연에 대한 묘사를 교수님이 '대지의 관능'이라고 번역하셨다. 도저히 이해할 수 없었던 이 단어가 십여 년이 지나서야 이해된다. 20대의 나는 '대지의 관능'이라니, 왜 작가가 이런 표현을 했나 당최 이해할 수 없었다. 작고 마른 체격의 예민한 모습을 완성하는 금테 안경을 낀 그 교수님은 문장을 번역해 주면서 대지의 관능이라는 말을 했다. 그러나 '대지의 관능'이란 게 과연 무엇인지 알 수 없었던, 정확히 말하자면 왜 자연에 관능이라는 성적인 단어를 붙이는지 몰랐다. 나의 꽉 막힌 생각의 틀이 그 문장을 이해할 수 없게 가로막았다. 교수님은 잠에서 깨어나는 대지의 모습이 관능적이라고 했다. 그걸 이해하지 못하는 학생들에게 교수님은 자연 본연의 아름다운 모습을 묘사한 작가의 표현이 탁월하다며 두둔하셨다. 나는 오랜 시간이 지난 지금에서야 그 말을 이해하게 된 것이다. 어떤 상황이나 관념이 하나에 고정되면 아집이 생겨 생각의 유연함을 잃게 된다. 나에게 '관능적'이라는 단어는 그래서 다른 이미지로의 확장이 어려운 옹졸한 의미로만 남아 있었나 보다. 태양 빛에 아름답게 깨어나는 자연의 모습은 지극히 관능적이었다. 그 표현이야말로 가장 적절하다는 생각이 들었다.

아름다운 풍경을 보며 걸으니 어느새 길은 녹고 쭉 뻗은 길이 펼쳐진다. 오늘의 목적지까지는 중간에 쉬는 마을 하나 없이 17km를 쭉 걸었다.

마을에 도착하자마자 바에 들렀는데 어제 숙소에서 봤던 세 청년이 있다. 프랑스 청년은 오늘 밤나무에서 떨어진 밤을 줍다가 길을 한참 더 걸었다고 이야기한다. 그러면서 자신의 전리품 밤을 잔뜩 보여준다. 허기를 채운 나는 오늘 여기서 묵을 거라고 하니 자기들은 더 걸어서 갈 거란다. 그렇지, 체력이 좋은데 쑥쑥 걸어가야겠지....... 이 좋은 친구들과도 또 헤어지겠구나 싶은데, 야요도 아쉬웠는지 "너를 가방에 넣어서 갈까?"라고 한다. 아이고 웃겨라. 이런 발랄한 표현이라니. 오늘 종일 얼어서 걷던 내 몸과 마음에 웃음이 한껏 퍼진다.

친구들과 헤어지고 숙소에 도착해 짐을 풀었다. 조금 지나니 코골이 질문 대마왕 미국인 알이 숙소에 도착했다. 하아...... 좋은 친구들을 보내고, 열심히 피하려고 한 다른 사람을 만났다. 저녁 식사를 하기 위해 식당에 갔는데 마침 일 년에 한두 번 있는 마을 모임으로 온 동네가 떠들썩하다. 동네 사람들 틈에 끼여 맛난 생선 수프를 곁들인 저녁을 먹고 숙소에 돌아와 귀마개를 주섬주섬 찾아 끼고 잠이 들었다.

벌써 한 달을, 모든 게 낯선 곳에 와 잘도 걷고 있다.

24. 깔사디야 데 라 꾸에싸 > 사하군Sahagún : 23km

아, 또 자면서 벌레에게 물렸다. 제발 저에게 벌레에게 물리지 않는 평화를 주소서.

어젯밤에 있었던 동네잔치의 여파인지 아침에 바가 문을 열지 않았다. 아침을 먹지 않고 다음 마을까지 걸어가야 했다. 영화 '반지의 제왕'에 나오는 프로도의 집처럼 생긴 와인 저장고를 지나 7km를 걸어 모라띠노스Moratinos에서 식사를 했다. 이탈리아 사람이 운영하는 식당에서 스파게티와 촉촉한 티라미수까지 먹고 나니 힘이 났다.

마른 흑갈색의 삭막한 메세타 지역을 꾸준히 걸어 오늘의 목적지 사하군Sahagún에 도착했다. 안내 책자에는 사하군에 도착하면 표식이 잘 없으니 길을 잃지 않게 조심하라고 되어있었다. 흑색 벽돌을 사용해서 지은 오래된 건물들이 멋있었다. 중세 시대에 들어서는 느낌이라고나 할까? 사하군은 스페인의 수도 마드리드에서 출발하는 까미노 데 마드리드Camino de Madrid 루트와 만난다. 그래서인지 프랑스길에서 보지 못했던 순례자들이 보였다.

짐을 풀고 언덕에 위치한 순례자 성모 성당Santuario Nuestra Senora Peregrina에 들렀다. 성당에서 입장료를 받아 의아하긴 했지만 성당 안에 있는 벽의 문양을 그대로 재현해 만든 도장이 예술적이어서 마음에 들었다. 성당 내부에는 사하군의 유명한 유적들을 미니어처로 만들어 놓아서 이 지역의 모습을 한눈에 볼 수 있었다.

시내에 저녁을 먹으러 가서 깊은 맛의 생선 수프를 먹었다. 숙소로 돌아오는 길에 스페인 자전거 순례자 무리를 만나 바에 갔다. 후안, 호세, 안드레스, 헤수스 이렇게 4명인데 이들 이름이 모두 성경에 나오는 성인의 이름인 것이 신기했다. 헤수스는 Jesus(예수)의 스페인식 발음이다. 의외로 이 이름을 가진 사람들이 스페인어권에는 많아 놀랐다. 페루에 있을 때 만난 담당 선생님 이름도 헤수스였다. 그 이름답게 그는 정말 사려가 깊었는데, 지구 반대편에서 온 동양인 봉사자들을 자기 집에도 초대하고 가족처럼 대해주었다.

스페인 순례자들은 나에게 이 지역 전통술인 오루호Orujo를 권했다. 포도를 증류해서 만든 증류주인데 도수가 아주 높다. 한국 사람이 외국인에게 소주를 권하듯 이들 역시 나에게 오루호를 권하며 마시는 내 모습을 유심히 지켜보았다. 오루호는 종류도 다양해서 아무것도 첨가하지 않고 도수가 높은 오루호 블랑코Orujo blanco, 허브를 첨가한 오루호 데 이에르바Orujo de hierbas 등을 골라 마실 수 있었다. 흥이 가득한 이 친구들 권유에 독주를 세 잔이나 마신 나는 알딸딸해지기 시작했다. 그중에 후안의 스페인어는 애니메이션 영화 '장화 신은 고양이'를 더빙한 말라가 출신의 배우 안토니오 반데라스의 발음이랑 비슷해서 술에 취할수록 웃기게 들렸다. 나중에 세비야Sevilla 지방에 오래 머무르면서 알게 되었는데, 스페인 남부 지역의 안달루시아Andalusia 발음이 강해서 그런 거였다. 안달

루시아 사투리는 c 발음을 z 발음처럼 강하게 내고, 단어 끝의 s도 생략하면서 말이 빠르고 억양도 강하다. 한국으로 치면 부산 사투리쯤 된다.

수다쟁이 스페인 친구들은 술을 더 마시고, 나는 숙소로 돌아왔다. 호스피탈레로가 친절하게 나 혼자 쓰는 방을 주었다. 오늘 여기 묵는 여성 순례자는 나 하나여서 배려를 해준 것 같았다. 다른 사람도 없으니 간만에 방에 음악을 틀어놓고 잠이 들었다.

25. 사하군

> 엘 부르고 라네로El Burgo Ranero : 19km

아침에 느지막이 숙소를 나와서 두 마을에 걸쳐 평탄한 평지를 걸었다. 좀 지루해져서 음악을 들었다. 이제 걷는 것에 익숙해진 것인지 지루함을 느낄 정도가 되었다. 걷기 시작하고 일주일 동안은 안 아픈 구석이 없고, 둘째 주에는 발에 물집도 종종 생기더니, 이제 걷는 게 익숙해져서 다리에 근육도 좀 붙고 무겁게만 느껴지던 가방도 내 몸에 착 붙어서 좋다.

어제 늦게까지 술을 마신 4명의 스페인 자전거 순례자 그룹을 만났다. 완벽한 사이클 복장을 하고 있었는데 내 주위를 빙글빙글 돌면서 인사하고 멀리 앞서 나간다. 저렇게 마음이 맞아 함께 여행하는 그룹이라니 살짝 부럽다. 까미노에서는 자전거 순례자들도 종종 보는데, 한 달씩 걸을 정도로 여유가 없는 사람들은 하루에 100km씩 자전거로 달려서 일주일 내지는 열흘 안에 까미노 여정을 마친다. 간혹 산을 타야 하는 경우엔 허벅지가 터질 텐데 대단하다는 생각이 들었다.

쭉 뻗은 길을 하염없이 걷다가 맞이한 마을에서 점심을 먹으려고 했지만, 이 마을 사람들은 매번 지나가는 순례자들이 달갑지 않은지 매우 불친절했다. 속으로 이런 못된 사람들 같으니 하며 욕을 해댔다. 낯선 이의 등장에 동네 개들도 막 짖어대기 시작해서 배고픔에 먹는 보까디요마저 허둥지둥 우걱우걱 먹었다. 간혹 길 위 순례자의 처량함이 이런 데서 느껴진다. 너무 갑자기 먹은 게 위장으로 들어가니 걷는데도 잠이 오기 시작했다. 오늘은 평소보다 걷는 거리가 멀지 않으니 좀 더 빨리 걸어 숙소에서 좀 쉬어줘야겠다.

마침내 오늘의 목적지인 엘 부르고 라네로El Burgo Ranero에 도착하자마자 커피를 한잔했다. 내 마법의 에너지 드링크 까페 꼰 레체를 먹고 정신이 돌아왔다. 숙소에 짐을 풀고 조금 있으니 미국인 알이 도착했다. 알은 나를 보더니 "숙소의 호스피탈레로에게 잔돈이 있을까?"라고 또 묻는다. '그 사람에게 잔돈이 있는지 없는지 내가 어떻게 알아? 직접 물어보면 되잖아.'라고 대답하고 싶었으나 그냥 그건 내가 잘 모르겠다고 말해줬다. 나의 불친절함이 내장에서부터 스멀스멀 올라온다. 따돌려도 속도가 같아 자꾸 부딪히는 이 인연이 너무 불편하다.

샤워를 하고 나오니, 숙소에 이것도 없고 저것도 없다며 불평불만이 많은 프랑스 할아버지와 일본인 이나가 와 있었다. 이나는 자기가 만난 한국인에게서 받은 소고기볶음 고추장 튜브를 보여준다. 아니, 이게 얼마 만에 보는 고추장인가! 쌀을 주식으로 하는 아시아인 두 명이 같이 저녁 준비를 했다. 쌀을 씻어 솥 밥을 하고 감자, 양파, 토마토, 소고기를 썰어 넣고 기름에 볶아서 볶음밥을 만들었다. 거기에 큼직한 계란프라이도 얹어서 제대로 모양을 냈다. 이나가 나보고 먹으라며 그 귀한 고추장을 건네줬다. 나는 정말 오랜만에 고추장의 맵고 달짝지근한 맛을 느끼며 맛나게 한국식 식사를 했다. 마른 체격의 이나는 쌀로 된 밥이 너무나 그리웠는지 내 눈이 휘둥그레질 정도로 밥을 많이 먹어 치웠다. 밀로 된 빵만 먹다가 따뜻한 흰 쌀밥을 먹으니 나로서도 그 행동이 충분히 이해되었다. 쌀로 된 밥을 두둑하게 먹으니 세상만사 풍요롭게 느껴진다. 인생이 이리 단순하다. 배부르고 등 따시면 되는데, 뭔 고민이 그리 많았는지.......

오늘은 각국의 사람들이 많아 숙소가 북적거린다. 내일도 천천히 지치지 말고 잘 걷길!

26. 엘 부르고 라네로

> 뿌엔떼 비야떼Puente Villante : 25.5km

오늘은 날씨가 참 맑았다. 대신 바람이 종일 불었다. 어제 밥을 엄청나게 먹던 이나는 손안에 잡히는 일본어-스페인어 사전을 들고 다녔다. 걸으면서 스페인어 공부를 하는 듯했다.

드넓은 평지 너머 멀리 산꼭대기에 눈이 쌓인 풍경을 보며 걸었다. 세찬 바람만 아니면 좋았겠지만, 단조로운 메세타 지역의 길에 바람막이가 되는 것은 아무것도 없었다. 그렇게 13km를 걷고 나니 쉴 수 있는 마을 렐리에고스Reliegos가 나왔다. 카페에 들러 신인이라는 이름의 주인 아저씨에게 커피를 주문해서 마시고 나와 오늘의 목적지로 향했다. 오늘은 만시야스 데 라스 물라스Mansillas de las Mulas에 묵을 생각이었다.

두 시간가량을 더 걸어 오늘의 목적지 마을에 도착했다. 그런데 이 마을의 알베르게가 내부 공사로 문이 닫혀있었다. 해 질 시간에 맞춰서 걸어왔는데 너무 당황스러웠다. 다음 마을은 6km나 더 걸어가야 한다. 내 걷는 속도로는 한 시간 이상을 더 걸어야 하는데, 그러면 어두워져서 마을에 도착하는 거라 살짝 걱정되었다. 계획이 틀어졌을 땐 몸이 재빨라야 고생을 덜 한다.

서둘러 다음 목적지로 걸음을 재촉했다. 쉴 생각이었는데 더 걸어야 하니 마음에서 불만이 올라왔다. 길의 풍경은 황량하기까지 해서 마음이 더 조급해지기 시작했다. 마른 들판 위로 길게 뻗은 다리 위를 지나는데 저 앞에 나처럼 숙소를 찾아 더 걷는 이나와 프랑스 할아버지가 보인다. 그들의 모습을 보니 안도감이 밀려왔다. 그런데 한편으로는 이 늦은 시간까지 걸어 숙소에 도착했는데, 나처럼 목적지가 바뀐 순례자가 많아서 침대 자리가 없으면 어쩌나 하는 걱정이 몰려온다. 그땐 다른 숙소를 찾아 정말 더는 못 걸을 것 같다. 6km를 걷는 동안 머릿속에는 온갖 상상의 상황들이 재현된다. 시간이 지나서 생각해보니 이 모든 게 나 자신을 괴롭히는 방식이었던 것 같다. 좀 더 단순하게 담대해질 것! 나에게 주문을 거는 문장을 도출해낼 때 즈음, 마침내 숙소에 도착했다. 아니나 다를까 오늘이 마을의 숙소에는 순례자들이 가득했다.

서둘러 샤워하고 식사 고민을 하는데 오늘 숙소에서 처음 본 채식주의자 레오가 렌틸콩 수프**Guiso de Lenteja**를 만들 건데 같이 먹겠냐고 한다. 이렇게 고마울 데가! 렌틸콩 수프는 각종 야채와 감자, 완두콩을 기름에 볶다가 물에 불린 렌틸콩과 소금을 넣고 한참을 끓여내는 요리다. 렌틸콩과 감자가 어우러진 맛이 담백했다. 맛난 음식을 먹고 사람들이 둘러앉아 자기들이 경험한 순례자 친구들 이야기를 했다. 그중에 '코 고는 순례자 친구'가 주제가 되었다. 까미노를 걷다 보면 일정과 걷는 속도가 맞는 순례자 그룹이 생기는데 주로 며칠 같은 숙소를 쓰게 된다. 그런데 어떤 그룹에서는 모두 사이도 좋고 대화도 잘 통했지만 엄청난 코골이 친구 때문에 다들 숙면을 취하지 못해 며칠째 피곤했단다. 그렇게 잠을 설친 순례자들은 일주일째가 되자 큰 결심을 하고 그 코골이 친구에게 “친구, 우리는 너를 너무 사랑하지만, 오늘만큼은 네가 호텔에서 자는 게 어때? 우리가 돈을 모아 너의 숙소를 잡아줄게.” 라고 했단다. 이 실화를 듣던 우리는 배꼽을 잡고 웃었다. 사랑하는 친구에게 안타까운 이야기를 해야 하는 웃기지만 절실한 상황이라니! 나도 며칠 동안 심하게 코를 고는 미국인 알에게 시달려본 적이 있어서 잘 이해가 되었다. 따뜻하고 맛난 음식과 웃음 가득한 수다에 하루의 긴장과 피로가 풀린다.

오늘 6km를 더 걸은 덕에 내일 도착할 대도시 레온León까지 가야 할 거리가 줄어들었다. 안 좋은 일이 있으면 좋은 일도 있는 법. 코골이 친구 이야기를 다시 떠올리며 혼자 웃다가 잠이 들었다.

27. 뿌엔떼 비얀떼 > 레온León : 13km

어제 예정보다 더 걸어서 오늘의 목적지 레온까지는 평소 걷는 것보다 조금만 걸으면 된다. 레온까지 걸었다는 것은 벌써 500km를 내 두 발로 온전히 걸었다는 이야기다. 부산에서 서울까지의 거리는 족히 걸은 셈이다. 스스로 좀 대견해진다. 그리고 여기까지 잘 걸어준 내 발과 다리가 너무 고맙다.

까미노를 걸으면서 느끼는 공통점은 대도시에 진입하는 것이 힘들다는 점이다. 풍요로운 대자연 속에서는 생판 남인데도 "부엔 까미노!Buen Camino!"라며 순례자를 응원해주던 사람들이 대도시로 갈수록 점점 사라진다. 커다란 간달프 나무 지팡이를 들고 달팽이 집 같은 배낭을 멘 내 모습을 보다가 도시 사람들을 보면 괴리감이 느껴지기도 한다. 그래서 오늘은 어제보다 짧은 거리를 걸었지만, 꽤 힘들게 느껴졌다.

까스티야이레온Castilla y León 지방의 주도인 레온은 아름답고 웅장했다. 안내 책자를 보니 기원전 1세기에 로마군이 처음 세운 도시란다. 2000년이 넘은 도시라고? 갑자기 흥분된다. 이렇게 오래된 도시에 내가 걸어서 도착하니 말이다.

레온의 공립 알베르게는 대도시의 시설답게 침대도 많고 공간도 넉넉했다. 숙소 근처의 레온 시청 앞에는 넓은 광장이 있었는데 채소 마켓이 열려 있었다. 간만에 비타민을 보충하기 위해 양상추, 양파, 토마토, 사과, 치즈 등을 사 와서 샐러드를 만들어 점심으로 먹었다. 야채를 충분히 먹고 나니 기분이 가벼워졌다.

내일은 레온에 하루 더 머물 테니까 빨래를 왕창 했다. 그러고 나니 저녁 먹을 시간이 되었다. 어제 뿌엔떼 비야떼 숙소에 같이 머물렀던 사람들과 근처 식당에 순례자 메뉴를 먹으러 갔다. 불평쟁이 프랑스 할아버지는 순례자 메뉴가 많이 생겼지만, 값만 비싸고 좋지 않다고 투덜거렸다. 나이는 좀 있지만 멋진 스카프를 두르는 것을 잊지 않고, 예민하지만 틀린 말은 아닌 내용으로만 투덜거리는 이 할아버지는 묘하게 정이 갔다. 이 할아버지와 일본인 이나는 지금까지 까미노에서 본 중 가장 잘 어울리는 커플 같았다. 할아버지는 프랑스어에 영어를 섞어서 이야기하고, 이나는 길을 걸으며 습득하는 스페인어와 일본어로 이야기하는데 둘은 찰떡같이 잘 다녔다. 이틀 전 바람이 몹시 부는 길을 걸을 때였다. 말 없고 덤덤한 이나가 앞서 걸으면, 이나보다 작은 체구의 할아버지는 이나 뒤에 딱 붙어서 바람의 저항을 최소화하면서 걷는 거다. 이나는 그걸 아는지 할아버지를 보호하듯이 묵묵히 바람막이가 되어 걷고 있었다. 둘이 걸어가던 그 모습을 보면 그들이 얼마나 서로를 의지하는 동행인지 느껴졌다. 미스터리인 점은 두 사람이 같은 언어로 소통하는 것은 보디랭귀지뿐이라는 것이다. 생각해보면 거짓 없이 가장 진솔한 언어는 바로 행동이 아닐까? 말은 잠시 속을 수도 있지만, 행동은 기승전결이 확실하기 때문이다.

무한으로 제공되는 테이블 와인과 함께 스페인 음식을 먹는 순례자 메뉴는 나에겐 늘 만족스러웠다. 기분 좋은 저녁을 먹고 숙소로 돌아와 잠을 청했다. 내일은 이 오래되고 웅장한 도시 레온을 둘러볼 것이다.

레온 시청 앞 광장의 모습

28. 레온

어제 레온 시청 앞에 축제처럼 장이 열렸던 것은 이 지역의 휴일 때문이었다는 것을 알게 되었다. 오늘은 목요일인데도 일요일처럼 거의 모든 곳이 닫혀있었다. 하루 더 같은 숙소에 묵는다고 해도 나 역시 순례자가 떠나는 시간에 맞춰 나와야 했다. 알베르게를 청소하고 정비하는 시간이 오전 11시까지여서 문을 다시 열 때까지 근처에서 커피를 마시고 주변 구경을 하다가 스페인의 유명한 건축가 가우디가 설계했다는 건축물을 구경했다. 천재의 작품을 직접 눈으로 보면 전율이 흐른다. 그의 작품은 아직도 지어지고 있는 바르셀로나의 사그라다 파밀리아 성당처럼 실용적이다. 레온의 까사 데 로스 보띠네스**Casa de los Botines**는 지금 까하 에스빠냐**Caja España** 은행으로 쓰이고 있다. 벽돌로 차곡차곡 쌓아 올린 흰색의 4층 건물은 짙은 남색 지붕과 날렵한 곡선의 첨탑으로 마무리되어 있다. 성 같은 느낌인데 은행 사무실로 쓰다니 놀랍다. 건물을 좀 더 오래 보려고 앞의 벤치에 앉았는데 벤치 끝에 동상이 있다. 자세히 보니 스케치를 하는 모습의 가우디 동상이었다. 그는 가고 없지만 그의 모습을 발견하니 기뻐서 유명인과 사진을 찍듯이 그 동상과 내 모습을 넣어 셀카를 찍었다. 갑자기 만나게 되어 정말 반갑습니다. 가우디 님!

하늘에 먹구름이 끼더니 비가 한두 방울 떨어지기 시작했다. 레온의 상징물 글자가 있는 광장을 지나 레온 산따 마리아 대성당Catedral de Santa María de León에 들어갔다. 파리의 노트르담 대성당처럼 성모 마리아의 이름을 한 이 성당은 섬세하게 아름답고 특히 스테인드글라스가 예뻤다. 햇살이 비친다면 더 아름다운 색을 볼 수 있을 것 같았다. 천장도 상당히 높고 웅장했다. 안내 책자에는 레온의 대성당이 후기 바로크 시대에서 신고전주의로 이행하는 양식을 보여주는 기념비적인 건물이라고 설명되어 있었다. 예수의 생애를 표현한 황금 벽면은 정교하고 세세하게 조각되어 있어 입이 떡 벌어졌다. 웅장함 속에 경건함이 충분히 전해지는 아름다운 성당이었다. 나는 의자에 잠시 앉아 내 여정이 잘 진행되어 산띠아고에 무사히 도착할 수 있기를 기도했다.

비가 오니 날이 어둡고 추웠다. 숙소에 들어가기 전에 그 앞에 있는 바에 들러 와인 한 잔과 하몽을 얹은 핀초스를 먹었다. 친구들과 걷지 않고 혼자 관광객 모드가 되니 살짝 외로움이 밀려왔다. 바의 주인장은 친절했는데 내가 한국인이며 순례 중이라는 이야기를 마치고 나가려고 하니, 토로 지방의 와인과 치즈를 얹은 핀초스를 인심 좋게 더 내어준다. 날씨 때문에 살짝 우울해지려던 마음이 바 주인의 작은 선물 덕분에 감사함으로 가득 찬다.
숙소로 돌아왔는데 회갈색 머리에 헤밍웨이처럼 수염을 기르신 호스피탈레로 아저씨가 저녁 미사 참석 전에 저녁을 먹을 거냐고 물었다. 나는 저녁을 또 어떻게 먹을까 고민하고 있었는데 조용히 나를 불러 식당에 앉으라고 하시더니, 멋진 수프와 빵 한 조각, 생선 요리를 먹으라고 내어주신다. 양파와 마늘, 올리브, 소금을 넣고 백포도주를 부어 만든 생선 요리는 식당에서 파는 순례자 메뉴보다 훨씬 고급스러웠으며 담백하고 깊은 맛이 났다. 이런 고마운 음식을 또 얻어먹다니 너무 감사했다. 이 호스피탈레로 아저씨도 봉사단체 소속으로 지원해서 여기 계신 듯했다. 그러면서 전에 한 한국 순례자가 다리를 다쳐서 병원에서 치료를 받기 위해 여기 숙소에 잠시 묵었다는 이야기를 해주신다. 방명록을 뒤져보니 한 달 전쯤 발을 접질려서 다친 한국 여성 순례자가 여기서 치료를 받으며 머물렀는데 알베르게 사람들이 매우 친절했다며 구구절절이 적어 놨다. 내가 오늘도 참 좋은 곳에 머무는구나 하고 생각했다. 특히나 호스피탈레로 아저씨는 정말 멋진 분위기를 풍기는 분이어서 나이가 들면 그 인품이 얼굴에 다 나타나는구나 하는 생각이 들 정도였다. 나도 나이가 들면 저런 좋은 삶의 이력서 같은 얼굴을 가지게 되면 좋겠다고 생각했다.

저녁 미사는 여기 알베르게의 수녀회에서 집전하는 미사였다. 수녀님들이 함께 참석하는 미사를 드리는 건 처음이었다. 다들 나이가 엄청 많으신 수녀님들이었는데, 서 있는 것도 힘들어 보이는 분도 있었다. 평소에 일을 많이 해서 그런지 손가락 마디마디가 굽으신 분도 있었다. 인상이 좋으신 분들도 있고, 아닌 분들도 있었는데 종교적인 삶이 다 평화로워 보이진 않았다.

오늘은 외로움이 엄습하는 와중에도 고마운 이들 덕에 맛난 음식도 먹고 마음의 위로를 받았다. 까미노의 선물이다. 이제 산띠아고까지 남은 길은 300km 정도가 된다. 이제부터는 사투를 벌이면서 걷는 것이 아니라 이 길을 즐기면서 걸어야겠다고 마음먹었다. 길이, 자연이 이 까미노의 의미를 알려 줄 거라는 확신이 생기기 시작했다.

Camino
de
Santiago
Itinerario Cultural Europeo
Km 40,949
galicia

까미노의 표식들

ANNE-MARIE
I AM WITH YOU
CADEAU
CADEAU

29. 레온
> 산 마르띤 델 까미노San Martin del Camino : 25km

알베르게에서 아침을 먹고 오전 8시 10분에 길을 나섰다. 다행히 레온 대학교 언어 센터Centro de idiomas de la Universidad de León가 오전 8시 20분에 문을 열어서 도장을 일찍 받을 수 있었다. 내 순례자 학위용 크리덴셜이 점점 완성되어가고 있다. 대도시에서 해야 하는 환전도 오늘 할 수 있었는데 여기 은행에서는 은행 계좌가 없어도 환전 금액의 1%의 수수료만 떼고 해주었다. 정책이 일관적이지 않나 보다. 그럼 나는 부르고스에서 왜 그 고생을 하며 환전 천사 미겔까지 대동해야 했던 걸까? 쉽게 환전을 하고 나니 다시 든든해진다. 한 달 동안은 환전 걱정은 안 해도 되겠다. 요즘은 그냥 카드를 다 받으니까 문제 없지만 현금을 선호하는 곳도 아직 많다.

으슬으슬 비가 내린 어제와 달리 오늘 날씨는 정말 좋았다.

오늘부터는 "나"를 위해 걷기로 했다. 오직 나를 위해. 그 누군가, 그 어느 것에 대한 걱정이 아니라 오로지 나를 위해 걷기로 말이다. 까미노를 시작한 것 자체가 나를 위한 것이었는데……. 그동안은 새로운 장소와 무거운 가방, 내 인생을 좌지우지했던 사람들 생각에 걷는 내내 감정이 북받쳐 오르기도 하고 원망하는 마음이 올라오기도 했다. 500여 km를 걷고 나서야 내 주변의 것들을 정리하고 걷어내고 나니 이제 내가 보인다. 나는 어떤 사람인지, 나는 무엇을 좋아하고 싫어하는지……. 이제야 충분히 나 자신에게 집중할 수 있게 준비가 된 것이다. 한 달 정도를 걸으면서 체력이 충분히 좋아지고 짐들도 가볍게 느껴지기 시작하면서 자연의 모습, 냄새, 풍경 등도 더 잘 느껴지기 시작했다. 레온에서 잠시 쉬는 동안 지금까지 나에게 일어난 변화를 차분하게 확인하는 시간을 보냈다. 이제 300km가 안 되게 남은 산띠아고 순렛길은 온전히 나 자신을 위해 걸을 테다.

레온을 빠져나올 때, 지금은 5성급 특급호텔, 빠라도르 데 레온Parador de León으로 탈바꿈한 산 마르코스 수도원 Convento de San Marcos의 모습을 볼 수 있었다. 중세 시대에 산띠아고로 걸어가던 순례자들을 받아 주던 곳이다. 건물 맞은편 산 마르코스 광장에는 십자가 아래 앉아 이 건물을 올려다보는 순례자 동상이 있다. 이 건물이 낯설지 않은 것은 까미노를 시작하기 전에 한국에서 본 영화에 나온 곳이기 때문이다. 마틴 쉰 주연의 '더 웨이The Way'라는 영화였는데 산띠아고로 가는 길에 관한 이야기를 다루고 있다. 주인공이 우여곡절 끝에 레온에 도착했을 때, 화려한 고급 호텔에 묵는 장면이 나오는데 그곳이 이 빠라도르 데 레온 호텔이다. 영화에서 등장인물들이 입을 떡 벌리며 이 건물을 바라보는 장면이 있는데, 내가 지금 그러고 있다.

안녕! 레온. 나에게 정말 좋은 곳이었어. 고마워.

두 시간을 걸으니 성모가 발현한 마을이라는 라 비르헨

데 까미노La Virgen de Camino[1]가 나왔다. 어떤 종교적인 특별함을 기대했지만 높게 지어 올린 현대식 십자가 탑만 보였다. 마을을 지나 조금 더 걸으니 두 갈래의 길이 나왔다. 나는 이미 어젯밤에 안내 책자를 읽으며 산 마르띤 방향으로 걷기로 마음을 먹은 상태여서 주저 없이 그쪽 방향으로 걷기 시작했다. 고속도로를 따라 쭉 걷고 또 걸었다. 오늘의 목적지 산 마르띤 델 까미노 San Martin del Camino로 걸어오는 마지막 5km 구간은 직선 도로였다. 도로 옆으로 드넓게 펼쳐진 밀밭과 정상이 눈으로 덮인 산의 경치가 좋았다.

이곳 공립 알베르게에는 스페인 순례자 호르헤가 있었다. 그는 토머스 모어Thomas More가 쓴 "유토피아Utopia"의 철저한 신봉자였는데, 나에게 책의 이름과 작가 이름까지 적어주며 인생 책이니 꼭 읽어보라고 몇 번을 강조했다. 오늘은 이 독특한 유토피아 신봉자와 나만이 이 숙소에 머무른다. 숙소가 넓고 좋았다. 호스피탈레로가 먹으라며 와인과 밤을 가져다주었다. 장을 봐서 파스타를 만들어

1) '까미노의 성녀'라는 뜻

먹었는데 와인과 잘 어울렸다. 처음으로 스페인 밤을 먹었는데 달고 맛있었다. 이 밤을 줍다가 길을 잃은 프랑스 청년 에르가 생각났다.

내일은 드디어 아스토르가Astorga에 들어간다. 거기엔 가우디의 또 다른 유명한 건축물이 있어서 좀 빨리 그곳에 도착하기로 마음을 먹었다. 게다가 내일은 토요일인데 오후부터 축제라서 문을 닫는 가게들이 많을 거라고 하니 아침에 일찍 서둘러야겠다고 생각하며 잠이 들었다.

아스토르가의 가우디 건축물

30. 산 마르띤 델 까미노 > 아스토르가Astorga : 25km

호르헤와 숙소에서 나와 한 시간 반 정도 걸었을까? 오르비고 강 위에 돌로 멋지게 지은 오르비고의 다리Puente de Orbigo가 보였다. 다리 중간중간에는 강의 경치를 감상할 수 있는 전망대가 있었고, 아치 모양의 석조물이 다리를 받치고 있었다. 강의 폭보다 다리의 길이가 길었는데, 예전엔 아마도 강이 더 넓었던 것 같다. 안내 책자를 보니 이곳은 세르반테스Cervantes의 "돈 키호테Don Quixote"에 영감을 준 중세 기사 돈 수에로Don Suero de Quiñones의 일화에 나오는 '명예로운 걸음의 다리'의 배경이라고 한다. 돈 수에로는 연인에 대한 사랑의 약속으로 매주 목요일이면 목에 칼을 차고 다니기로 했는데 이 약속을 어기면 300개의 창을 부러뜨리거나, 이 오르비고의 다리 위에서

한 달 동안 결투를 하기로 했단다. 무슨 연인이 이런 요상한 요구를 할까? 사랑을 증명하기 위해 목숨을 걸라고 요구하다니 수에로는 참 독한 여자를 만났구나 싶었다. 매주 목요일에 칼을 차고 다니는 약속을 지키는 것에 지친 그는 결국 왕에게 한 달 동안의 싸움을 허락해 달라고 요청했다. 그리고 유럽 전역의 기사들에게 싸움에 참여해 달라고 요청해서 성 야고보의 축제일을 제외하고는 약속대로 한 달간, 이 다리에서 결투를 벌였다고 한다. 그 사랑의 약속 참 요란하다.
마침내 한 달간의 결투를 끝낸 수에로는 약속으로부터 자유롭게 되자, 목에 찼던 족쇄를 성 야고보에게 바치기 위해 산띠아고로 순례를 시작했고, 그 족쇄는 산띠아고 대성당에 보존했다고 한다. 약속을 지켜서 명예로운 다리이기는 하나, 사랑에 족쇄의 약속을 하는 것은 좀 과하다. 레온 주변의 이 작은 마을은 이 다리의 이야기로 축제도 성대하게 지낸다고 한다.

오스피탈 데 오르비고Hospital de Orbigo를 지나니 오르막길이 나온다. 한참을 걸어서 올라 보니 산 정상의 카페에 채식주의자 레오가 있다. 이렇게 반가울 수가! 가쁜 숨을 고르고 다리를 쉬며 달콤한 초코라떼를 마셨다. 산 정상에 올랐으니 이제 내려가는 쉬운 길만 남았다. 가우디를 보러 부지런히 아스토르가로 향했다. 아스토르가에 다다를 즈음 이번엔 레온의 숙소에서 내 옆 침대를 사용했던 독일인 리타를 다시 만났다. 오늘은 길에서 만나는 사람들이 많다. 중년 여성 리타는 독일에서 정원사 일을 한다고 했다.

아스토르가의 공립 알베르게에 도착해서 짐을 풀고 가우디의 건축물을 보러 가려고 했지만 벌써 닫았단다. 내일 아침에 문을 열면 둘러보기로 하고 리타와 저녁을 먹으러 길을 나섰다. 어디서 먹을지 몰라서 두리번거리다가 주차된 차에 타고 있는 아저씨에게 여기 맛있는 식당이 어디냐고 물었다. 식당 추천을 해주려던 아저씨는 길을 설명하다 말고 갑자기 자기가 데려다주겠단다. 혼자였으면 사양했겠지만, 리타도 있으니 우리는 차에 탔다. 까미노 시작하고 차에 탄 건 이때가 처음이다. 이 멋진 신사는 자신이 추천하는 식당 앞에 우리를 내려줬다. 연신 감사하다고 인사하고 식당에서 병아리콩과 해물이 잔뜩 들어간 수프, 연어구이와 샐러드를 먹었다. 친절한 현지인의 추천 식당답게 맛이 근사했다. 리타는 6년 전에도 까미노를 걸었는데, 그때와 지금은 너무 다르다고 했다. 순례자 메뉴와 음식이 얼마나 안 좋아지고 비싸졌는지 이야기하고, 다른 순례자들과 알베르게 이야기도 하며 즐거운 식사 시간을 보내고 숙소로 돌아왔다.

빨라시오 데 가우디_까미노 박물관으로 사용된다

31. 아스토르가
> 라바날 델 까미노Rabanal del Camino : 23km

아스토르가에 있는 가우디의 건축물은 주교의 궁전Palacio Episcopal으로 건설되었다고 한다. 독일인 리타와 나는 오전에 이곳을 보고 다음 목적지로 출발하기로 했다. 100년이 지난 이 건물은 중세와 현대의 감각이 절묘하게 어울려 있다. 밖에서 봐도 너무 아름답다. 특히 원형 탑처럼 지은 기둥과 입구의 아치는 딱 떨어지는 수학적 계산이 아니고서는 저런 아름다운 형태를 만들 수 없을 것 같다. 원래는 주교의 숙소인 궁으로 제작 의뢰를 받아 가우디가 설계하고 만들었지만, 주교는 이 건물이 완공되기 전에 죽어서 여기를 쓴 적은 없다고 한다. 지금은 순례자를 위한 까미노 박물관Museo de los Caminos으로 사용된다. 내부에는 아름다운 스테인드글라스의 빛을 받으며 기도할 수 있는 예배당이 아치형 기둥 아래에 있다. 복층 공간 옆의 벽에는 대형 그림이 걸려있었다. 그림에 등장하는 인물들의 시선 처리가 독특해서 내가 움직이면 그림 속 등장인물도 나를 계속 쳐다보는 것 같았다.

소원을 성취하듯 가우디의 작품을 만족스럽게 감상하고 점심을 먹은 후 1시 20분에 목적지로 출발하는 모험을 감행했다. 지금부터는 부지런히 걸어야 한다. 아스토르가를 빠져나오는 길, 토요일 오후라 이 지역 사람들이 조깅을 하며 주말 낮의 햇살을 즐겼다. 외곽을 벗어나자 아주 조금씩 오르막길이 진행되었다. 안내 책자에는 이제부터 산맥으로 진입하니 마음을 단단히 먹으라고 했지만, 한국의 가파르고 험난한 돌산에 비하면 정말 평온한 쭉 뻗은 오르막길이었다. 오르막길 중간에 호스텔이 하나 있었는데 거기 주인이 지난번 그라뇽에서 만난 순례자 중의 한 명이었다. 숙박업을 한다더니 여기서 만날 줄이야. 갈 길이 멀어 짧은 인사만 남기고 리타와 함께 걷기 시작했다.

중간에 리타가 앞서가다가 손을 세차게 흔들더니 풀밭 더미로 사라진다. 자기는 자연의 화장실을 쓰겠으니 걱정 말고 지나가라는 뜻이었다. 지금은 겨울이라 까미노에 사람들이 많지 않지만 여름엔 순례자들이 많아 길을 가다 자연의 화장실을 쓸 때도 신경이 많이 쓰이겠다는 생각이 들었다. 여름에는 숙소의 침대 자리 경쟁도 치열해서 늦게 숙소에 도착하면 자리가 없어서 다음 마을로 더 걸어가거나, 돈을 더 주고 사설 숙박 시설에 머무르는 일도 많다. 심지어는 마을의 체육관까지 열어서 넘쳐나는 순례자들을 받기도 한단다. 사람 많은 거 싫어하는 나로서는 겨울의 까미노가 제격이다.

결국, 리타와 나는 해가 져서야 라바날 델 까미노Rabanal del Camino에 도착했다. 해가 지면 까미노 표식이 잘 보이지 않기 때문에 길을 잃지 않기 위해 노력해야 한다. 랜턴까지 켜고 겨우 마을에 도착했는데 숙소도 바로 나오지 않아 지나가는 동네 주민에게 물어서 그나마 헤매지 않고 숙소를 찾을 수 있었다. 영어와 독일어를 하는 리타는 이런 순간 스페인어가 통하는 내가 참 마음에 들었던 것 같다.

서둘러 씻고 근처 식당에 늦은 저녁 식사를 하러 갔다. 숙소에 도착한 스페인령 아프리카의 섬 떼네리페Santa Cruz de Tenerife 출신의 노엘, 그리고 리타와 함께였다. 그 식당에는 주인 할아버지의 강아지도 있었는데 식사 내내 리타가 집에 두고 온 자기네 강아지 생각이 난다며 강아지를 쓰다듬고 좋아했다. 깔깔대며 웃는 세 여성을 보며 주인 할아버지가 건너편 테이블에서 스페인어로 뭐라고 한다. 그 할아버지는 강아지가 마음에 들면 오늘 여기서 자기와 같이 묵는 게 어떠냐고 리타에게 이야기한 것이다. 내가 너무 황당해하며 놀라니까 리타가 뭐라고 말한 건지 물어본다. 알려주었더니 리타가 단호한 표정으로 개랑은 잘 수 있는데 당신하고는 못 자겠다고 한다. 통역해서 주인에게 말해주면서 다들 깔깔거리며 미친 듯이 웃었다. 방심한 순간 훅 들어오는 저 수작은 무엇인가?

늦게 출발했는데도 무사히 23km까지 걸어서 오늘의 일정을 마치고 나니, 시간 안에 도착하지 못하면 어쩌나 하는 두려움이 사라진다. 일행이 있어서 어두운 길을 걷는 두려움이 없었던 것도 큰 몫을 했다. 인생에서도 두려움

없이 안 해본 것을 시도하고, 함께 무엇이든 할 수 있는 좋은 동료를 만난다면 혼자보다 더 멀리 갈 수 있지 않을까?

숙소에 돌아온 우리는 침대에 누워서도 여기 식당 할아버지 웃긴다며, 혼자 지내니 어지간히 외로운가 보다, 리타는 인기가 많아서 큰일이다, 이런 이야기를 나누며 깔깔 웃다가 잠이 들었다.

폰세바돈 언덕에 있는 철의 십자가

32. 라바날 델 까미노 > 엘 아세보El Acebo : 17km

산이 시작되는 곳이라 숙소가 있는 곳은 상당히 추웠다. 안내 책자에는 몰리나세카Molinaseca라는 곳까지 걷는 일정을 설명해 놓았지만, 내가 그다음 날에 머물러야 할 뽄페라다Ponferrada까지의 구간과 거리가 맞지 않았다. 오늘은 걸을 수 있는 데까지 걷겠다는 계획이었다. 게다가 오늘의 여정에는 대망의 '철의 십자가Cruz de Ferro'가 있다. 지난번에 자전거로 순례하는 스위스인이 자기 짐에 관해 이야기하다가 여기 철의 십자가에 두고 갈 작은 돌을 준비해 왔다고 했다. 물리적으로는 돌이지만, 이 돌은 순례자가 떨쳐버리고 싶은 그 무언가나 간절한 소망 등을 투영한 하나의 상징으로 보면 된다. 산띠아고가 있는 갈리시아 지방에 가기 전 폰세바돈Foncebadón의 언덕에 있는 이 철의 십자가에 그 상징을 두고 간다는 것이다. 나는 돌 대신 가방의 방향제 역할을 하려고 가져온 작은 나무 조각과, 내 안에서 버려야 할 것과 바람 등을 적은 쪽지를 준비했다. 한 시간 반 정도 걸으니 돌무더기 위에 우뚝 솟은 철 구조물, 그 위에 작은 십자가가 세워져 있는 곳이 보였다. 순례자들은 한 사람씩 여유를 가지고 차례차례 그 십자가 옆에서 무언가 속삭이는 듯했다. 내 차례가 되어 그 돌무더기 위의 십자가상에 다가가니 다른 사람들의 염원을 자세히 볼 수 있었다. 사랑하는 사람의 사진을 걸어놓고 그의 죽음을 슬퍼하는 쪽지, 수능 응시지원서를 붙인 한국인의 염원 등 다양한 사람들의 여러 가지 까미노의 이유가 말없이 펄럭이고 있었다. 나는 나의 안전을 기원했다. 그 어떤 폭력도 다시는 나를 슬픔에 가둘 수 없게 해달라고 다른 사람들의 소원에 나의 소원도 얹어 놓았다.

이제 높은 산의 평지 구간을 지나야 한다. 세찬 바람을 맞으며 마른 흙길을 걸었다. 그 뒤로는 조금씩 길이 가팔라져서 뾰족한 돌무더기 길을 오르고 또 올랐다. 이렇게 힘이 들 줄이야.

한계에 다다른 순간 오르막이 끝나면서 내리막길이 펼쳐진다. 힘든 오르막길이 끝난 곳에서 갑자기 멋진 광경이 확 펼쳐졌다. 순간, "우아!" 하고 탄성을 질렀다. 이 광경을 보려고 내가 이 고생을 했구나! 멀리 펼쳐진 눈산 아래로는 구름에 둘러싸인 도시가 간간이 비쳤다. 이 순간은 마치 파울로 코엘료Paulo Coelho의 "연금술사O Alquimista"에서 주인공 산띠아고가 세상을 돌며 여행하다 큰 언덕에 올라 비로소 피라미드를 바라보던 대목과 같은 느낌이었다. 파울로도 이 산을 지나며 느낀 것을 그렇게 묘사했던 것일까? 나는 땀을 식히며 그 아름다운 광경을 보고 또 보았다. 한국의 지리산 천왕봉에 올라서 발아래 구름을 볼 때도 그저 그랬는데, 구름 속에 우뚝 선 산이 발아래로 보이는 이런 신기한 광경은 보고 있어도 믿을 수 없을 만큼 신비하게 느껴졌다. 이런 순간을 내가 직접 만나게 될 줄이야.

높이 올라온 만큼 내려가는 길은 가파르고 위험했다. 오후 3시가 다 되어가서 나는 여기서 제일 가까운 마을인 엘 아세보El Acebo에 묵기로 마음을 먹었다. 몰리나세카까지 이 가파른 산길을 계속 걸어 내려가는 건 내키지 않았다. 그리고 아까 산 정상에서 느꼈던 감동이 너무 강렬해서 아름다운 풍경을 조금이라도 더 볼 수 있는 산속 마을에 머물기로 했다. 식당에서 리타를 만났다. 리타에게 나는 여기서 묵을 거라고 말하니, 나와 헤어지기 싫었던 그녀가 “너를 잃기 싫어.”라며 꼬옥 안았다. 서로 연락처를 주고받으며 아쉬운 작별을 했다.

이 마을의 숙소에서는 중절모에 멋진 깃털을 꽂고 다니는 이탈리아인 프레드 할아버지와 나무 지팡이에 걸은 거리를 표시하는 이탈리아인 미셸 할아버지를 만났다. 이 두 노신사와 저녁을 같이 먹었다. 스페인어를 하는 동양인이 신기했는지 두 신사는 자기들 순례자 여권 스탬프를 보여주며 내 것도 구경했다. 저녁으로는 토마토, 양파, 마늘과 송어가 들어간 수프Sopa de truchas를 먹고, 간만에 스테이크도 와인과 함께 먹었다. 힘들었던 산행의 피로가 위장의 음식을 따라 씻겨 내려갔다. 숙소의 착한 스텝 안드레아가 자신의 노트북으로 내 사진 파일을 외장하드에 옮길 수 있게 도와줬다. 이제 사진을 더 찍을 수 있겠군. 묵은 숙제도 해치우고, 산속에서 하늘에 총총히 뜬 별을 감상했다. 너무 아름다웠다.

좋은 이를 만나고, 좋은 말을 하고, 좋은 생각을 하고, 좋은 행동을 하고, 사랑할 줄 아는 사람이 되리라. 별들에게 되뇌어 보았다.

산 정상에서 내려다본 풍경

33. 엘 아세보 > 뽄페라다Ponferrada : 15.5km

아침에 가파른 내리막길을 걷기 위해 단단히 준비하고 나섰다. 어제에 이어 다시 아름다운 광경이 펼쳐진다. 허둥지둥 시간에 쫓겨 내려갔다면 이 광경을 충분히 즐기지 못했을 것이다. 내리막길은 매우 급한 경사였다. 발아래에 보이던 구름을 한참 지나 내려오니 몰리나세카가 보였다. 아름다운 마을에서 다리를 건너 처음 보이는 가게에 들어갔다. 친절한 호세 마리아(요셉과 마리아의 이름을 함께 쓰다니 정말 신기한 이름이다) 아저씨네 가게에서 점심을 해결했다. 이분은 까미노를 잘 걸어가라며 호두와 팔찌를 선물로 주셨다. 감사해라. 또 순례자를 챙겨주는 고마운 분을 만났다.

몰리나세카를 빠져나오는 길에 까미노 표식을 제대로 보지 않고 한참을 걸었는지 어둑어둑한 숲길로 들어섰다.

차를 타고 가던 동네 분이 “이 길은 까미노가 아니야!”라며 차에서 내려 친절하게 길을 알려주셨다. 하마터면 길을 잃을 뻔했다. 정말 고마웠다. 인적이 드물었는데 운이 좋게도 그분을 제때 만나서 고생을 안 하게 되었다.

한참을 걸어 ‘들판’이라는 뜻의 깜포스Campos 마을을 지나 뽄페라다에 도착했다. 여기 공립 알베르게에 블라디미르 아저씨가 있었다. 이분은 나헤라에서 순례자로 같이 묵었던 분인데 지금은 호스피탈레로 일을 하고 있다. 짐을 풀고 나서 호스피탈레로는 어떻게 되는지 물어보니 친절하게 알려주셨다. 산띠아고까지 순례를 다 하고 나서 호스피탈레로 협회에 등록하면 되고, 자신이 지원한 시간, 지역과 맞는 곳이 있으면 연락이 온단다. 언젠가 꼭 한번 도전해볼 테다!

뽄페라다에 묵어야 했던 이유는 순례자 학위 여권에 여기 대학의 도장을 받아야 하기 때문이다. 여기는 교육의 도시인지 여러 대학의 캠퍼스가 한곳에 모여 있었다. 대낮인데도 멀리 안개가 껴서 내가 내려온 산은 보이지 않았다. 뽄페라다는 확실한 분지여서 사방이 안개로 휩싸인 도시였다. 뽄페라다 대학UNED Ponferrada과* 근처의 다른 대학 사무소까지 들러 도장을 받았다. 그리고 내친김에 시내 중심가에 있는 시청Ayuntamiento에 들러서 도장을 받아야겠다고 생각했다. 시청에 들어가서 현지 경찰에게 순례자 여권에 도장을 찍으러 왔다고 했다. 경찰은 흔쾌히 도장을 찍어주었는데, 그의 뒤에는 뽄페라다 도시 전체를 관찰하는 CCTV가 잔뜩 있었다. 그런데 이 CCTV의 화질이 상당히 좋아서 사람들 얼굴까지도 잘 보였다. 이 경찰은 앉아서 도시 전체를 관찰하는구나 싶었다. 누가 무심코 광장에서 코를 파는 것도 다 보일 정도였다. 도장을 받고 중세 느낌이 물씬 나는 돌이 잔뜩 깔린 광장을 거닐어 보았다. 내가 광장 중간쯤 갔을까? 어떤 통통한 스페인 남자애가 오더니 "강남스타일 알아? 싸이 알아?" 하더니 내 대답을 듣기도 전에 말춤을 추며 광장 끝으로 사라진다. 순식간에 벌어진 스페인 꼬마의 강남스타일 공연이라니 너무 웃겼다. 이 녀석아, 너 이러는 거 시청의 경찰 아저씨가 다 보고 있어!

숙소로 돌아와 어제 만난 프레드 할아버지가 요리한 맛있는 파스타를 얻어먹었다. 이탈리아 사람들이 요리한 파스타는 늘 옳다. 맛나게 먹었으니 설거지와 정리는 내가 했다. 먹었으면 치워야지.

저녁이 되니 안개가 도시 안까지 다시 내려와 있었다. 여긴 참 신비로운 곳이다. 안개 속을 걸어 와인과 내일 먹을 것을 사고 숙소로 돌아와 오랜만에 따뜻하게 잤다.

뽄페라다 성전 기사단의 성

34. 뽄페라다

> 비야프랑까 델 비에르소Villafranca del Bierzo : 26km

뽄페라다에서 나와 커피숍에 들러 커피를 마시면서 오늘은 비야프랑까 델 비에르소까지 가기로 결심했다. 우체국 사무소에 들러 빰쁠로나에서 부친 내 소포가 산띠아고 우체국에 아직 잘 보관되고 있는지 확인했다. 2주간 보관해준다고 했는데 벌써 그 2주가 다 지나가고 있어서다. 우체국 직원은 아마 내가 산띠아고에 도착할 때까지 보관해줄 거라고 말해줬다. 안심하고 다시 까미노에 올랐다.

한 시간 정도 걸었을까? 화장실이 너무 급했다. 자연의 화장실이면 바로 일을 봤을 텐데 마을이라 참아야 했다. 이 마을 시청에 뛰어들다시피 들어가서 화장실을 이용하고는 순례자 도장까지 받고 나왔다. 염치없는 순례자라니.......

다시 길을 걷는데 해가 밝았는데도 안개가 자욱했다. 안개 속을 걸으니 기분이 가라앉고 길에 사람이 없으니 적적함이 밀려왔지만 이내 이상한 사람이 옆에 있는 것보다 백배는 낫다는 생각이 들었다. 중간 마을 바에서 도장을 받았다. 이제 순례자 여권과 학위용 여권에 도장 모으는 재미가 들렸다. 모양도 제각각이고 날짜까지 적어주니 모으는 재미가 있었다. 그 덕에 말도 한 번 더 해보게 된다. 이 바의 주인아저씨가 도장을 찍어주면서 "오늘은 12월 12일이야. 재미난 숫자야."라고 했다. 나는 12시 12분에 알람을 맞춰 놓고 '12121212'라는 숫자가 되는 순간을 지켜보기로 했다. 후다닥 걸어 다음 마을에 도착해서 점심을 먹고 있는데 주인 할아버지가 커피를 그냥 주셨다. 나는 감사한 마음에 미리 작게 잘라 놓은 화선지에 붓펜으로 할아버지의 이름과 작은 난초 그림을 넣어 선물로 드렸다. 생각지도 않은 선물에 할아버지가 환하게 웃으셨다. 그렇게 12월 12일 12시 12분이 지나갔다. 작지만 소소한 즐거움 덕분에 소소하게 행복해진다.

한 시간 넘게 걸어서 도착한 까까벨로스에서는 입구를 멋지게 꾸며놓은 알베르게를 구경하고 마을을 빠져나왔다. 얼마 지나지 않아 와이너리 건물이 보였다. 와인은 역시 리오하가 최고지만, 이 지역 와인의 맛도 궁금해져서 잠깐 들렀다. 현대식으로 깔끔하게 꾸며진 와이너리 안에서 1유로에 시음할 수 있는 와인을 제공하고 있었다. 길을 걸을수록 여유가 생겨서, 이제는 마구 걸어서 지나치는 게 아니라 여기저기 구경도 하고 노닥거리는 여유까지 생겼다. 까미노 초반만 해도 내가 걷는 속도로 20km를 걸으려면 하루를 온전히 다 바쳐야 겨우 다음 마을에 도착하는 정도였다. 지금은 한 시간에 5km씩 걷는 내 속도를 알게 되자 마음에 여유가 생긴 것이다. 이제는 까미노 표지판에 적힌 산띠아고까지 남은 거리의 숫자가 점점 줄어드는 게 아쉬울 정도다.

오늘의 목적지 비야프랑까 델 비에르소까지 가는 나머지 길은 오르락내리락 길이었다. 건너편 오르막길에 사람이 보였다가 사라지고 다시 보이다가 가까워졌다. 젊은 한국인 여자였는데 어제 프레드 할아버지가 해준 파스타를 먹고 냉큼 사라진 비매너 순례자. 실은 순례자라고 하기에는 차림이 너무 가벼웠고, 사소한 모든 것들까지 계속 질문하면서 내 기력을 빼앗아가는 사람이었다. 피해야지 내가 좀 더 평화로워질 것 같다. 이 친구도 비야프랑까 델 비에르소 알베르게에 묵을 거라고 한다. 그렇다면 오늘은 나의 평화를 위해 간만에 호텔에 묵어야겠다고 생각했다. 공립 알베르게는 비야프랑까 델 비에르소의 초입에 있었다. 그 옆의 오래된 성당을 구경하고 시내까지 쭉 더 걸어갔다. 이곳은 휴양지인 덕에 다행히 숙소들이 많았다. 한국의 TV 프로그램 '스페인 하숙'을 찍은 장소가 이 마을이다. 나는 괜찮은 곳을 동네 주민에게 추천받아 강가 다리에서 고속도로로 가는 길에 있는 호텔에서 묵었다. 짐을 풀고 샤워도 하고 따뜻한 물에 빨래도 하고 샤워가운을 입고 넓은 침대에 누워 모처럼 1인실의 여유를 즐겼다.

저녁을 먹기 전에 호텔 옆의 바에 맥주를 한잔하러 갔더니, 아스토르가의 알베르게에서 만났던 바르셀로나 사람

프란시스코가 있었다. 반가워서 인사를 했는데 과일을 주며 인심을 베풀더니 갑자기 나에게 돈을 빌려달란다. 며칠 뒤에 줄 테니 가진 돈을 빌려달란다. 아니 56살이나 먹은 스페인 사람이 외국인 순례자에게 갑자기 왜 돈을 빌려? 미안하지만 나는 인심 좋고 돈이 넉넉한 호구 동양인 순례자가 아닙니다. 기껏 이상한 사람을 피해서 왔더니 방심한 순간에 어이없는 일이 일어난다. 전에 채식주의가 레오가 '이상한 미친 소 같은 사람'이 지금 까미노를 걷고 있는데 조심하라고 했던 말이 떠올랐다. 이 사람이 레오가 말한 그 미친 소가 아닐까 생각했다. 호텔로 다시 돌아왔는데 나이트가운을 입은 여주인이 너를 아는 바르셀로나 사람이 와있다고 했다. 숙소까지 쫓아온 건가 싶어 무척 화가 났다. 여주인에게 절대 내 방을 알려주면 안 된다고 신신당부했다. 순해 보이는 동양 사람인 줄 알았는데 화를 내는 모습을 본 여주인은 놀란 표정으로 고개를 끄덕거리며 방 열쇠를 나에게 주었다.

저녁 시간이 되어 강가 다리가 보이는 식당에 가서 이 지역의 강에서 잡은 생선을 튀긴 요리에 감자튀김을 곁들여 먹었다. 혼자 앉아 좀 전에 있었던 일을 떠올리며, 왜 나의 특별한 순간에 반갑지 않은 일들이 생기는 것인지 생각해보았다. 그런데 특별한 순간에 좋은 일만 있기를 바라는 것 자체가 동화 같은 바람이 아닐까? 특별한 순간 자체로 그냥 그건 특별한 건데, 내가 무조건 다 좋은 일만 생겨야 한다고 억지를 쓰는 꼴이었다. 까미노를 걷는 것 자체가 인생의 축소판 같은 건데, 그 길에 좋은 일만 있으란 법은 당연히 없는 거다. 좋은 일도 나쁜 일도 있는 것, 그것이 인생이듯 까미노도 마찬가지다. 내가 걸음으로써 특별해지는 것이고 그 순간이 나에게 어떤 의미를 주는지, 무엇을 깨닫게 해주는지 내가 알아가야 하는 것이지 내가 의도하지 않았던 상황까지 화내느라 시간을 보내지 말아야 한다는 생각이 들었다. 이 생각에까지 이르자 생선튀김의 바삭함이 제대로 느껴지기 시작했다. 그리고 내일 아침 창문 너머 보일 강가 건너편의 풍경이 기대되었다. 식사를 하고 호텔로 돌아가는 길, 비가 부슬부슬 내리기 시작했다. 일기예보에는 내일도 모레도 비가 온다고 하는데 제발 그치길 기도했다.

몸과 마음을 위로해 준 감자튀김을 곁들인 생선 요리

오래된 작은 성당_무사히 산띠아고까지 가게 해 달라고 기도드려 본다

35. 비야프랑까 델 비에르소
> 루이뗄란Ruitelán : 23km

비가 아주 많이 오기 시작했다. 겨울이 우기라더니, 그 시기가 시작된 것이다. 비가 잦아들기를 기다리며 다림질도 하고 놀다가 오전 10시가 지나서야 체크아웃했다. 어제 나이트가운을 입고 나를 맞이했던 호텔 여주인이 오늘은 머리에 헤어롤을 잔뜩 말고 있었다. 비 오는 날도 걸어가는 순례자가 안쓰러웠던지 그녀가 동네 주민만 아는 길을 알려준다. 오늘은 비가 많이 오니 터널을 통과해서 가면 빨리 갈 수 있다고 말이다. 비를 맞으며 걷는 오르막길보다는 그녀가 알려준 길이 더 현명한 선택일 것 같아서 그 길을 따라 걷기 시작했다. 고속도로 터널을 걸어서 통과하다니 한국에서는 절대로 하지 않을 일이다. 다행히 차가 많이 지나다니는 길은 아니어서 걸을 만했다. 오늘은 정말 종일 비가 내렸다. 그래서 고속도로 옆길을 걸었는데 그 옆으로 강물이 흘러갔다. 쓸데없이 내 인생에 끼어드는 문제들은 저기 흘러가는 강물처럼 흘려보내고, 내리는 비는 우산에 받아 땅으로 그냥 흘려보낸다. 비가 오는 날은 그동안 마음속에 있던 기분 나쁜 생각들을 정리하기에 좋았다.

'작은 문'이라는 뜻의 라 뽀르뗄라La Portela 마을에 도착하자 길은 좁아지고 산들이 보이기 시작했다. 다시 산을 오르는 거구나....... 왜 자꾸 등산하는 거야. 그것도 비 오는 날에....... 까미노를 막연하게 상상할 때, 쭉 뻗은 들판 길을 여유롭게 걸을 줄 알았지, 이렇게 산을 많이 오를 줄은 몰랐다. 발까르세 계곡의 입구 마을인 라 뽀르뗄라를 지날 때, 스페인 남부 말라가 출신의 로사를 만났다. 이제까지 못 보던 순례자인데 체격이 크다. 어느새 길동무가 되어 함께 오늘의 목적지 베가 데 발까르세Vega de Valcarce에 도착했다. 그런데 숙소를 둘러보니 너무 춥고 시설이 엉망이었다. 로사와 장을 보는데, 여기서 1.5km를 걸어가면 더 좋고 따뜻한 시설의 알베르게가 있다는 이야기를 동네 주민이 해주신다. 우리는 숙소에 돌아와 가방을 다시 메고 다음 마을 루이뗄란Ruitelán의 사설 알베르게로 갔다. 그런데 이곳은 숙소 가격에 저녁 식사 가격이 포함된 곳이었다. 채식주의자인 로사는 저녁을 자기가 요리해서 알아서 먹으면 안 되냐고 주인과 한참 문 앞에 서서 실랑이를 벌였다. 스페인 사람들끼리 의견 대립이 있으면 정말 치열하게 오래 말을 주고받는다. 결국 합의점을 찾지 못하자 로사는 짐을 챙겨 들고 여기엔 묵을 수 없다며 걸어온 길을 다시 걸어 이전 숙소로 가겠다고 했다. 나는 비 오는 날 장시간을 걸어서 지친 탓에 왔던 길을 되돌아갈 수는 없었다. 나는 여기 묵겠다고 하고 로사와 헤어졌다. 그래서 오늘은 결국, 나 혼자 이 알베르게에 묵게 되었다.

이곳은 가정집을 개조한 곳이었는데 아늑하고 좋았다. 돌로 지은 튼튼한 구조에 2층과 지하에는 큰 부엌이 있었다. 주인인 루이스는 약간 예민한 사람 같아 보였다. 그는 "순례자들은 너무 이기적이야Son peregrinos muy egoistas."라고 말했다. 그러면서 자기도 처음엔 순례자들에게 매우 친절하게 대하며 그들의 요구를 다 들어주었단다. 한번은 순례자가 돈이 없다길래 숙박비를 깎아줬더니 마을의 다른 바에 가서는 와인을 마시고 실컷 놀다가 오더란다. 순례자는 이기적이라는 말이 한편으로는 맞고, 한편으로는 또 그렇지 않게 느껴졌지만, 그의 심정은 이해가 되었다. 자신을 위해 걷는 그 피곤하고 빡빡한 일정 속에서 순례자들은 이기적인 사람이 되기도 한다. 다만 예의를 좀 지키면 되는데, 그렇지 못하면 그걸 보는 사람들은 실망감으로 배려가 사라지게 된다. 루이스가 좋은 순례자들을 많이 만나서 기분이 풀어지면 좋겠다. 그렇지 않으면 그는 이 일이 점점 싫어질 테니 말이다.

비를 종일 맞아 피곤했던 나는 씻고 머리까지 말리고 나자 정신이 돌아온다. 일기를 쓰고 내일 일정을 확인하고 나니 저녁 식사 시간이 되었다. 식사는 통통한 체격에 수줍음이 많아 보이는 까를로스가 준비하고 있었다. 동양인이 신기했는지 눈을 동그랗게 뜨고 메뉴 설명을 해주었다. 엄청난 양의 샐러드와 겉은 바삭하고 속은 촉촉한 크로켓이 주메뉴였고, 테이블 와인도 제공되었다. 한 사람만을 위해 정말 정성스러운 저녁 식탁이 차려졌다. 저녁 식사 가격이 7유로였는데 이 가격에 이런 황송한 만찬이라니! 게다가 크로켓을 입에 넣는 순간, 나는 신세계를 경험했다. 원래 기름기가 많은 튀김류는 좋아하지 않는데 이 크로켓은 반죽을 얼마나 정성스럽게 했는지, 정말 세상에서 가장 맛있는 크로켓 같았다. 바싹하게 튀겼는데 안이 너무 촉촉해서 크림을 먹는 것처럼 부드러웠다. 맛이 어떠냐고 물어보는 까를로스에게 나는 엄지를 연신 추켜세우며 세상에서 가장 맛있는 크로켓이라고 말해주었다. 그의 수줍은 얼굴에 환한 미소가 번졌다. 루이스와 까를로스는 부부 같아 보였다. 깐깐한 루이스는 복도 많지....... 이렇게 요리도 잘하는 까를로스와 멋진 산장에서 살다니! 정성스럽고 맛있는 저녁에 대한 보답으로 한지에 그림을 그려드렸다.

궁극의 크로켓과 함께한 멋진 저녁 식사를 끝내고 내일의 일정을 준비했다. 지도를 보니 내일은 험난한 산 정상에 오른 다음 마침내 산띠아고가 있는 갈리시아Galicia 지방으로 들어간다. 여기 오는 길의 산 근처 마을들은 하나같이 작고 이쁜 시냇물을 끼고 있어서 아름다웠는데 내일도 그럴까? 비만 많이 안 오면 좋겠다.

까미노 표식인 가리비 모양의 분수

36. 루이뗄란 > 오 세브레이로O Cebreiro : 12km

따뜻하게 잠을 잘 자서 포근한 침대에서 나오기가 싫었다. 그 덕에 느림보처럼 오전 10시에 루이뗄란 숙소에서 나왔다. 역시나 비가 왔다. 한 시간쯤 걸어 라스 에레이아스Las Herrerías를 지나 오스삐딸이라는 작은 마을 커피숍에서 따뜻한 벽난로 앞에 앉아 젖은 발을 말리고 다시 길을 나섰다. 라 파바La Faba까지 장대비를 맞으며 자전거 길로 올라왔다. 비가 너무 많이 와서 도보 길이 물에 다 젖어 있었다.

라 파바의 산장 알베르게는 독일인이 운영했다. 장작을 피워놓아서 나무 타는 냄새가 가득하다. 여기엔 며칠 전부터 마주치게 되는 말없이 조용한 핀란드인 순례자가 있었다. 이 사람은 다른 순례자와 거의 말을 하지 않고 노트에 줄곧 글을 쓰는 모습만 보여주었다. 어젯밤에 여기서 묵은 듯했다. 오늘은 비가 많이 오니 걷지 않고 여기에 하루 더 묵을 거란다. 지금 생각하니 나도 그랬어야 했다. 나는 여기서 마떼 차를 한 잔 마시고, 이곳 산장과 매우 잘 어울리는 회색 고양이를 본 다음에 다시 길을 나섰다. 비는 더 거세지더니 바람과 합체하여 미친 듯이 내 얼굴을 때리기 시작했다. 이 거센 비바람을 맞으며 오르막길을 걷다니, 어서 다음 마을이 나와야 한다. 숨을 몰아쉬며 급기야는 소리까지 질렀다. 비야! 그쳐라! 미친 사람처럼 걷는데 앞에 마을이 보였다. 나는 여기가 오늘의 목적지 오 세브레이로O Cebreiro이길 바랐다. 하지만 여기는 그 전 마을인 라 라구나 데 가스띠야La Laguna de Castilla라는 곳이었다. 비바람 속에서는 안내 책자를 꺼내 지도를 볼 수가 없었다. 눈에 보이는 레스토랑의 문을 열고 들어가자 안에 있던 사람들이 일제히 나를 쳐다봤다. 비를 쫄딱 맞고 씩씩거리며 들어온 이상한 여자가 오 세브레이로까지 얼마나 걸리냐고 물으니 다들 놀란 눈치였다. 이젠 오기까지 생겼다. 이놈의 오 세브레이로, 내가 오늘 진짜! 반드시! 도착해 준다! 어디 갈 데까지 가보자! 이놈의 비바람!

이런 심정이었다. 지금 생각하니 단단히 미친 것 같다. 어차피 나는 다 젖었고, 얼굴은 세찬 빗방울에 두들겨 맞아서 얼얼했다. 빗줄기 사이로 높고 굽이진 언덕이 보인다. 중간에 중형차가 오길래 오 세브레이로까지 얼마나 가야 하냐고 물었다. 운전자가 비도 많이 오는데 데려다줄 테니 타라고 한다. 오기가 생긴 나는 이제 와서 까미노에서 차를 타고 이동할 순 없다는 생각에 거절하고 더 걷기 시작했다. 오르막길에서 나처럼 비를 맞고 가는 스페인 순례자 마르코를 만났다. 나 혼자 이러는 게 아니라 다행이라고 생각했다. 어젯밤 숙소의 주인, 루이스는 비로 인해 깨어있는 멋진 산을 보는 건 혼자 느낄 수 있는 아름다운 시간이라고 했지만, 나는 오늘 대자연의 힘에 된통 두들겨 맞은 기분이었다.

산띠아고로 가는 여정의 마지막 높은 산을, 나는 미친 비바람을 맞으며 지났다. 마침내 갈리시아에 도착한 것이다. 오 세브레이로의 새로 잘 지어진 알베르게에 쫄딱 젖은 거지꼴로 도착했다. 내가 입구에 들어서자 한국인 아저씨가

“어이구 이런 날에, 그것도 이 시간에 도착하다니!”라며 내 가방을 받아서 들어주었다. 여기 숙소에는 송 사장님과 병철 씨가 있었다. 따뜻한 물로 샤워하고 젖은 옷을 널어 놓은 다음, 새로 만난 한국인 순례자들과 함께 저녁을 먹으러 갔다. 따뜻한 음식이 몸에 들어가니 노곤함이 밀려왔다. 이 레스토랑에서는 등산용품도 팔았는데 판초식으로 된 질은 초록색 우비가 있었다. 오늘 비바람에 된통 당한 나는 이 판초를 구입했다. 생각해보니 진짜 우둔하게 비를 두들겨 맞으며 걸었구나 싶었다.

숙소에 돌아오니 스페인 중고등학생 수십 명이 단체 수학여행을 와 있다. 여기 알베르게는 남녀가 다른 방을 쓰게 하는데, 이 단체 학생들 때문에 순례자들을 한 방으로 다 옮기게 했다. 짐을 옮기는 내 모습을 보더니 송 사장님이 여자도 아니라고 나를 놀렸다. 평소에 나는 한국 중년 남성들의 고압적인 대화 방식을 좋아하지 않지만, 소년 같은 감성이 있는 송 사장님의 악의 없는 농담은 기분 나쁘지 않았다. 비바람 속을 씩씩하게 혼자 잘 걸어오더니, 이젠 남자들 방으로 쫓겨 오는 나를 웃게 하는 농담이었으니까.

아니나 다를까 스페인 청소년들은 밤새 깔깔거리고 떠들며 복도를 들락거렸다. 하지만 오늘의 험난한 일정 덕에 나는 정말 기절하듯이 잠들었다.

오 세브레이로_까미노 데 산띠아고를 부활시킨 돈 엘리아스 발리냐 신부

산 로께 언덕에 있는 순례자 동상

37. 오 세브레이로

> 뜨리야까스뗄라 Triacastela : 22km

오스 안까레스 산맥La sierra d'Os Ancares을 볼 수 있는 오 세브레이로에 있다는 것은 마침내 내가 갈리시아에 들어섰으며, 산띠아고가 멀지 않았다는 뜻이다. 오 세브레이로는 까미노 데 산띠아고를 오늘날의 순렛길로 부활시킨 장소이기도 하다. 이곳의 교구 신부였던 돈 엘리아스 발리냐가 '까미노의 친구 협회'를 만들고 노란색 페인트로 칠한 화살표 표식을 처음으로 만들었다고 한다. 한 사람의 엄청난 노력으로 전 세계 사람들이 찾는 곳이 되었다는 건 경이로운 일이다. 어제의 비바람 덕에 나는 이곳을 평생 잊지 못할 장소로 기억하게 되었다.

이제 아랫마을로 내려가야 한다는 일념으로 오늘의 까미노를 시작했다. 내 몸이 가방과 함께 떠밀릴 정도로 바람이 심하게 불었다. 어제에 이어 또 비가 왔다. 나중에 안 사실이지만 오 세브레이로는 산악 지역이라 날씨 변동이 심해서 우박이 쏟아지는 경우도 종종 있다고 한다. 겨울에는 눈이 많이 쌓여서 오지도 가지도 못하는 상황이 생기는 날도 있단다. 그렇게 생각하면 비바람에 따귀를 맞는 일쯤이야 양호한 것일 수도 있으려나? 새가 날아가다가 거센 바람을 맞고 휙 날려가는 것을 보았다. 비가 와서 차로 옆길을 걷다가 도보 길을 걷는 일을 반복했다. 걷다 보니 어느새 눈앞에 익숙한 동상이 서 있다. 바람 때문에 한 손으로는 모자를 부여잡고 다른 한 손으로 지팡이를 쥐고 있는 이 순례자 동상은 "신과 함께 가라 - 산띠아고 가는 길" 안내 책자의 표지 사진과 같았다. 드디어 이 동상을 실제로 보는구나. 순례자 동상의 자세가 표현하듯 정말 세찬 바람이 불어왔다. 동상이 바라보는 방향으로는 갈리시아 지역이 내려다보였다. 이 언덕의 이름은 산로께 언덕Alto de San Roque이다. 사진을 찍고 눈을 돌리니 안개가 맞은편 산의 능선을 타고 춤을 추듯 빠르게 올라가는 장관을 연출하고 있었다. 더 이상 올라갈 곳이 없다는 듯, 정상의 풍경은 먼 산과 안개와 구름을 내 시야 아래에 펼쳐 놓았다.

오늘의 목적지 뜨리야까스뗄라Triacastela가 멀리 보이는 도로를 따라 내려갔다. 저 멀리 언덕에는 소들이 짙은 숲을 배경으로 여기저기 흩어져 여유롭게 풀을 뜯고 있었다. 숲의 아름다움이란 이런 것일까? 발은 걷고 있지만 온몸으로 느껴지는 대자연의 풍경이 평화롭게 다가왔다. 카메라에는 이 아름다움이 오롯이 다 담기지 않아 사진 찍기는 포기하고 눈에 더 담기로 했다.

아름다운 풍경을 몸과 마음에 가득 담고 뜨리야까스텔라의 공립 알베르게에 도착했다. 그런데 어제의 그 단체 스페인 아이들이 숙소에 도착하는 순례자를 보자 괴성을 질러대기 시작했다. 아! 오늘도 이 친구들과 함께 지내야 한단 말인가? 나보다 먼저 도착한 송 사장님과 병철 씨가 여기는 도저히 머무를 수 없다며 가방을 여기 두고 다른 사설 알베르게를 찾아보기로 했다. 다행히 문을 연 곳이 있었는데 너무 습해 보였다. 그래도 저녁을 해 먹을 수 있는 곳이어서 그곳으로 갔다. 조금 있으니 이틀 전 라 파바에서 본 핀란드인 순례자도 이 숙소로 왔다. 그는 “아이들!”이라고 말하더니, 고개를 절레절레 흔들었다.

저녁까지 해 먹고 신문지를 구해 젖은 신발에 잔뜩 넣어 말리는 작업을 하다가 하루를 마무리했다. 내일도 비가 오려나.......

38. 뜨리야까스뗄라 > 사리아Sarria : 19km

이 마을에서 사리아Sarria까지 가는 까미노는 두 갈래 길이었다. 25km를 가는 사모스Samos 루트와 19km를 가는 산솔Sansol 루트였다. 사모스 루트는 거리가 더 멀지만 내리막길이었고, 산솔 루트는 거리가 더 짧지만 오르막길을 올라갔다가 내려가는 길이었다. 며칠 산을 올랐던 터라 오르막길에 대한 두려움이 없어진 나는 거리가 짧은 산솔 루트를 택했다. 하지만 이렇게 긴 19km는 처음인 것처럼 느껴졌다. 비가 또 종일 왔기 때문이다. 판초형 우비는 지팡이를 쥔 손을 제외하고는 몸과 가방이 젖지 않게 잘 보호해주었다. 공기 순환도 잘 되어서 걸으면서 땀이 나도 습기를 잘 배출해주었다. 그래도 계속되는 비는 반갑지 않았다. 반갑지 않아도 겪고 가야 하는 날이다. 장대비가 쏟아지길래 고개를 푹 숙이고 걸었다. 바닥을 보니 도로가 비에 젖어 거울처럼 내 모습이 비쳤다. 지팡이를 짚고 우비를 쓰고 걷는 내 모습이 바닥에 실시간 영상처럼 보였다. 이 와중에 신기한 놀이 발견이다.

오늘은 나에 대해 차분히 생각하려고 했는데 비가 정신을 못 차리게 했다. 심지어 점심 먹을 장소도 마땅치가 않아서, 길가 버스 정류장 벤치에 앉아 초콜릿 발린 비스킷을 우걱우걱 먹는데 비가 더 쏟아졌다. 잠깐 비가 그칠 때 해가 났는데, 정말 고맙고 아름다웠다. 내일은 비가 오지 않기를 바랐다. 아니, 내일도 비가 오면 그냥 쉬자! 길에서 처량하게 과자로 끼니를 때우면서 무슨 부귀영화를 누릴 거라고 이 고생을 하는가 싶었다.

가리비 모양의 분수가 있는 마을을 지나고, 닭장을 나와 길에까지 노닐고 있는 닭들을 지나 걷고 또 걸었다. 비가 오니 동네 사람들도 거의 보이지 않았다. 계곡을 지나는 곡선 도로여서 그런지 이미 걸어 나온 마을이 반대편 길에서 보이고, 다음 마을이 또 반대편에서 보이는 묘한 길이 나왔다. 그 구역을 지나 쭉 뻗은 들길을 걷는데 숙박 시설로 보이는 대저택이 우뚝 서 있었다. 먹을 것을 팔지 않을까 해서 들어섰는데, 집 뒤편에는 넓은 승마장이 있었다. 아름다운 이 집의 주인은 여기도 사설 알베르게라고 했다. 먹을 것을 팔지는 않지만, 순례자인 나에게 홍차와 과자를 대접해주었다. 고마워라. 알베르게 주인은 가족과 함께 말을 타고 종종 까미노 구간을 지난다고 했다. 잠시 쉬며 따뜻한 차를 마셨더니 기운이 났다. 감사의 인사를 하고 길을 나서는데 알베르게 주인이 사리아의 공립 알베르게는 마요르 거리Calle Mayor에 있으니 길을 잃지 말고 잘 찾아가라고 일러주었다.

시골 마을을 다 지나니 오늘의 목적지 사리아가 보인다. 사리아에 들어서기 전 철도 위의 도보 다리를 건너는데, 두건을 쓰고 긴 치마를 입은 스페인 할머니가 나에게 "말 띠엠뽀 비에네Mal tiempo viene! 말 띠엠뽀 비에네!"라고 외친다. 이 말은 '나쁜 시기에 왔어! 나쁜 시기에 왔다고!'라는 뜻이었다. 비를 맞고 걷는 순례자를 보니 좋은 시기가 아니라 왜 이런 비 오는 시기에 왔냐고 안타까운 마음에 위로 같은 잔소리를 하는 듯했다. '할매, 나도 알아요. 그런데 어쩌겠어요. 지금이 내 순례 시기인데.'라고 속으로 말하면서 숙소로 향했다.

사리아의 공립 알베르게는 시설이 넓고 좋았다. 여기서부터 산띠아고까지는 100km 남짓한 거리여서 짧은 구간의 까미노를 완성하고 싶은 순례자는 이 도시에서부터 출발하는 경우도 있다. 짐을 풀고 근처 식당에 가서 이 지역에서 유명하다는 문어 요리 뿔뽀Pulpo를 먹었다. 문어 다리를 둥글게 썰어 올리브유를 듬뿍 넣고 익히다가 마지막에 붉은 고춧가루를 살짝 뿌리는 요리다. 문어숙회와 고추장이 생각난 건 나의 한국인 유전자 때문인 것 같다. 화이트 와인과 곁들어 먹었는데 매우 잘 어울렸다.

숙소에 돌아왔는데 다행히 어제까지 만난 엄청나게 시끄러운 스페인 학생들은 더 이상 보이지 않았다. 정말 다행이었다. 그런데 며칠째 비와 함께 걸어서인지 오늘따라 몸이 너무 무겁게 느껴진다. 내일도 비가 오면 무조건 쉬기로 마음먹었다. 비가 너무 와서 좋은 풍경을 즐기는 것도 놓치고 걷는 것 같다.

문어 요리 뿔뽀

사리아의 표식_까미노를 상징하는 가리비 문양이 있다

39. 사리아

드디어 생리를 시작했다. 그래서 오늘 하루는 온전히 쉬기로 마음먹었다. 어제는 비를 맞아서 힘들다고 생각했는데, 생리하려고 며칠 동안 몸이 그렇게도 묵직했었나 보다. 어릴 때는 생리통이 심해서 정말 고생했다. 어머니는 생리통을 평생 모르고 살던 사람이라 나의 격한 통증을 이해하지 못했다. 여자인 어머니가 생리통을 이해하지 못하니 한 달에 한 번 겪는 이 극심한 고통을 이해해주는 이는 집에서는 아무도 없었다. 나이가 들고 서울에서 대학교 선배들과 전셋집을 얻어 함께 지낼 때야 다른 사람들의 생리 경험을 알 수 있었다. 다행히 나이가 들면서 하루를 온전히 앓아눕는 생리통은 덜해졌다. 그리고 생리에 대한 긍정적인 마음도 생겼다. 생리가 끝나고 나면 몸이 더 유연해지고 컨디션이 좋아졌다. 나의 건강을 매달 확인해주는 고마운 내 몸의 작은 섭리를 이해하고 나니, 생리는 더 이상 불편한 일이 아니라는 것을 알게 되었다.

사리아 숙소에서 하루 더 지내니 맛난 것을 해 먹기 위해 장을 좀 보기로 했다. 어제저녁 근처 상점에서 우비를 산 영철 씨가 다른 것으로 교환을 해야 해서 따라가 통역을 해주었다. 대형 상점에서 장을 보고 생리대와 치약 등 생필품을 사고 통신사 매장에 들어가서 스페인 심카드를 구매했다. 나에게도 이제 스페인 전화번호가 생겼다.
숙소 근처 카페에서 차를 마시고 친절한 카페 직원의 추천을 받아 렌틸콩 요리를 점심으로 먹었다. 전화번호도 생겼으니, 한국에 있는 지인과 가족에게 내 번호를 알려주고, 밀린 메일도 읽으며 한 달 동안 모르고 지내던 내가 있던 세상의 일들을 확인했다.
그리고 이제부터 남은 산띠아고까지의 일정을 고민했다. 이제 정말 일주일도 남지 않았다. 산띠아고에 도착하면 아쉬움이 밀려올까? 더 천천히 걸었어야 했나? 지금은 잘 모르겠다. 그동안 걷느라 사라진 일상에서의 사소한 고민들이 밀려왔다. 까미노를 걸으면서 풍경을 보면 눈이 즐겁다. 눈이 즐거우니 마음의 복잡한 것들이 사라진다. 이런 감사한 순간이 빨리 지나간다고 생각했는데, 생장에서 시작한 이 순례는 벌써 한 달 하고도 8일이나 지나가고 있다. 산띠아고에 도착했을 때 나는 무슨 생각을 하게 될까? 힘들게 걸었던 이 시간이 만족스러울까? 아니면 더한 외로움이 밀려올까? 새로운 인연들은 계속 나에게 왔다가 스쳐 지나간다. 어떤 때는 떠나보내기 너무 아쉽고, 어떤 때는 귀찮거나 거슬려서 빨리 벗어나고 싶다.

오후가 되니 다른 그룹의 순례자들이 속속 도착한다. 붉은 머리를 짧게 자른 독일인 순례자가 왜 여기는 남녀 방을 따로 나누지 않냐고 투덜거렸다. 이 여인은 독일의 집과 가구들을 다 정리하고 까미노를 시작했단다. 가진 것을 다 정리하고 온전히 순례에 몸을 맡기다니 대단하다. 그리고 어린 왕자가 나이 들면 저런 모습이 아닐까 생각하게 하는 중년의 금발 독일인 마티아스도 오늘 처음 봤다. 그는 까미노를 여러 차례 걸었다고 했다.

하루 쉬고 나니 피곤함도 덜고 몸이 재정비되는 느낌이다. 신발도 잘 말렸으니 이제 정말 산띠아고에 잘 갈 수 있겠지? 나의 까미노가 완성될 순간이 얼마 남지 않았다.

40. 사리아 > 뽀르또마린Portomarín : 22.5km

오전 9시에 출발했다. 사리아에서 나오는 길에 성당의 미사 시간이 맞아서 잠깐 들어가 기도를 드렸다. 거기서 만난 똘레도 출신 라바즈와 경희 씨, 꼬루냐 출신 커플 두 명과 일행이 되어 함께 사리아를 벗어났다.

수풀이 우거진 갈리시아의 경치는 멋있었다. 비가 잠깐 오다가 그쳐서 정말 다행이었다.

숲길에는 작은 돌담이 길 양옆으로 서 있었는데 초록색 이끼가 가득했다. 로마 시대 때부터의 돌길이라고 스페인 친구들이 이야기해준다. 걷는 내내 작은 집들이 나타났다 사라졌다. 바르바델로Barbadelo라는 작은 마을의 교회 앞에서 가방을 놓고 잠깐 쉬는데, 교회지기 할아버지가 나타나더니 안을 보고 가라며 열쇠로 문을 열어주신다. 이 작은 교회를 참 정성스럽게도 꾸며놓았다. 안에는 산띠아고 성인의 상이 있었다. 그래서 할아버지가 우리에게 친히 문을 열어주셨구나 하고 생각했다. 이 작은 마을은 예전에는 수도원으로 유명한 곳이었지만 지금은 사는 사람이 거의 없어 보였다.

교회를 나와 여정을 계속하는데 비가 온다. 문을 연 식당은 보이지 않고 배는 고파왔다. 다행히 오늘은 아침에 만난 일행이 있어서 외롭지는 않았다. 나무 장작을 만드는 작은 창고 같은 곳에서 비를 피하며 각자 준비해 온 음식을 먹었다. 잠깐 요기를 하고 이름도 다양한 오밀조밀한 마을들을 계속해서 지났다. 어떤 마을의 빽빽한 나무숲을 지날 때는 숲의 기운이 너무도 음습하게 느껴져서 소름까지 돋았다. 저기로 들어갔다간 무서운 악령들에게 시달리는 게 아닌가 싶은 생각에 빠른 걸음으로 지나왔다.

돌무더기가 많은 산길을 걷는데, 한 까미노 표지석 앞이 유달리 요란해 보인다. 누군가 놔두고 간 등산화도 있고, 작은 돌을 쌓아 만든 돌탑들도 있고, 노란색 핑크색 등 다양한 색깔의 리본들도 주변에 걸려있다. 이곳은 산띠아고까지 100km 남았다는 표지석이었다. 다른 순례자들이 여기서 사진을 찍고 있었다. 순서를 기다려 우리도 사진을 찍었다. 우비를 쓰고 지팡이를 든 누추한 모습을 하고 환호성을 지르며 신나게 기념사진을 찍었다. 700km 정도를 내 두 발로 다 걸었다니! 신난다!

대장장이가 많이 살았다는 마을 페레이로스Ferreiros에 겨우 도착했다. 바에서 따뜻한 차를 마시고 오늘의 목적지 뽀르또마린Portomarin을 향해 다시 걸어가는데 아무리 걸어도 너무 멀게 느껴진다.
한참을 걸어서 마침내 뽀르또마린이 내려다보이는 언덕에 도달했다. 급경사의 내리막길을 내려와 어마어마하게 깊고 큰 강을 지나는 다리를 건너야 했다. 비가 와서 강물이 엄청 불어있고 유속도 빨랐다. 강이 생각했던 것보다 너무 크고 넓어서 놀랐다. 강 중간에는 물에 잠긴 옛 마을의 흔적이 거대한 강물에 휩쓸리고 있었다. 이 근처에 댐이 만들어지면서 옛 마을은 물에 잠기고 사람들은 다른 곳으로 옮겨 갔다고 한다. 다리의 난간이 너무 엉성하게 만들어져 있어서 강을 구경하다가 잘못하면 간격이 큰 철 구조물 사이로 떨어질 것 같았다. 조마조마한 마음으로 겨우 다리를 다 건넜다. 얼마나 긴장했던지 뽀르또마린으로 들어가는 높은 계단 입구에서 다리에 힘이 풀릴 정도였다. 나는 약간의 고소공포증이 있다는 걸 나중에 깨달았다. 다른 사람들은 나처럼 그렇게 무서움을 느끼지 않았다고 한다.

엄청난 모험 끝에 숙소에 도착했는데, 호스피탈레로의 태도가 너무 쌀쌀맞다. 시설은 크고 깔끔해서 좋았는데, 그 넓은 부엌에 식기가 고작 포크 두 개와 접시 하나였다. 겨울이라 부엌 관리가 힘드니 순례자들은 부엌을 쓰지 말고 나가서 사 먹으라는 무언의 명령 같았다.

다른 순례자들은 오후 5시가 지나서야 속속 도착했다. 22.5km의 여정이라고 했는데 25km는 족히 더 걸은 것 같은 느낌이었다. 씻고 내일의 여정을 위한 장을 보고 주변 식당에서 간단하게 저녁을 먹고 나왔다. 작은 마을에 들리는 거대한 강물 소리가 웅장했다. 내일은 해가 좀 나왔으면, 사람들이 좀 더 친절했으면, 맛난 음식을 바가지

씌우지 말고 줬으면, 내일도 산띠아고를 향해 무사히 잘 걸을 수 있었으면, 다른 것보다 내가 더 친절했으면……. 여러 가지 바람들을 떠올리며 잠이 들었다.

뽀르또마린으로 들어가는 다리와 마을의 풍경

까미노에서 만난 고양이

41. 뽀르또마린
> 빨라스 데 레이Palas de Rei : 25.5km

흐린 날씨 속에 뽀르또마린을 빠져나왔다. 산길을 걷고 작은 마을들을 지나 빗물이 고인 낙엽 위를 걷고 돌담길 옆을 지났다. 갈리시아 지역은 촉촉한 자연의 대향연이다. 며칠째 내린 비에 물을 머금고 훌쩍 자란 갈색 버섯이 곳곳에 보였다. 그리고 높은 키로 자란 유칼립투스가 허물처럼 벗은 나무껍질들이 많이 떨어져 있었다. 껍질을 벗은 속살은 다양한 색을 띠어서 정말 신기한 나무라고 생각했다. 한국에서는 잘 볼 수 없는 유칼립투스를 한참 감탄하며 보고 있을 즈음, 마티아스가 이 나무는 다른 나무들에게는 좋지 않은 종이라고 이야기해준다. 높이 자라면서 주변의 작은 나무가 자라지 못하게 나무껍질로 덮어버리기 때문에 유칼립투스가 자라기 시작하면 다른 나무를 도태시킨단다. 무서운 경쟁력을 지닌 나무였구나!

작은 마을의 한 식당에서 점심으로 오징어튀김에 레몬을 얹은 깔라마레스 데 프리또를 주문해서 먹었다. 그런데 직원이 너무 불친절한 거다. 가격도 다른 곳보다 비싸다. 외국인이라고 바가지 씌우는 것인가? 기분이 나빴다. 그러고 나와서 길을 걷는데 그 나쁜 기분을 내가 계속 달고 있는 거다. 좋은 사람은 좋은 기운을, 나쁜 사람은 나쁜 기운을 다른 이에게 전파한단다. 그럼 나는 어떤 기운을 지니고 있을까? 사리아에서 등장한 독일인 마티아스는 좋은 기운을 지닌 사람이다. 여러 번 까미노를 걸은 그가 말하길, 까미노는 수 세기 동안 많은 사람이 다양한 염원을 가지고 그들의 에너지를 흩뿌려 놓은 은하수 같은 길이란다. 그가 말한 '좋은 기운'이라는 말은 하나의 주문처럼 느껴졌다. 우리는 복잡한 도시에 살면서 아주 많은 것을 필요로 하며 그것을 가지기 위해 시간을 저당 잡혀 일한다. 그런데 배낭 하나에 들어가는 짐만으로도 한 달 넘게 살아지는 것을 경험하고 나니, 많이 가지지 않고 가볍게 사는 삶이 가능하다는 것을 배웠다. 이 길 내내 나는 좋은 기운을 받고 있는 게 아닐까 생각했다. 그리고 깊이 생각해보는 연습도 많이 한 것 같다. 평소에는 복잡한 생각들을 정리할 틈도 없이 지내다 보니 사는 게 힘들어지는데, 한 주제에 대해 깊이 사색하는 연습을 걷는 내내 한 것 같다. 그 사색의 속도와 깊이가 달라지는 경험, 그리고 대자연의 아름다움을 온몸으로 느끼는 경험은 내가 가진 까미노의 위대한 유산이 되어가고 있다.

낙엽이 쌓인 숲길을 지나 아름다운 갈리시아의 언덕들을 뒤로하고 걸어 나오는 길, 요란한 전기톱 소리가 들렸다. 벌목꾼들이 나무를 무참히 잘라내고 있었다. 그전까지 아름다운 나무를 보다가 처참하게 잘려나가는 생명체를 보고 있자니 미안한 마음이 들었다. 까미노 내내 자연과 동화되어 가는 느낌이 들던 나는 속상함에 눈물까지 났다. 뛰다시피 걸어 그 길을 벗어났다.

울어서인지 미안해서인지 기력이 빠진 나는 도로 옆길의 벤치에 앉아 쉬었다. 비스킷을 꺼내 먹는데 어느새 눈이

파랗고 군데군데 흉터가 있는 삼색 고양이가 슬금슬금 오더니 내 다리 사이를 머리로 비비며 빙글빙글 돈다. 이묘한 생명체 덕에 울적하고 추웠던 마음에 온기가 돌았다. 고맙다냥!

100km 까미노 표지석을 지난 이후부터 산띠아고까지 남은 거리는 두 자리 숫자였다. 오늘의 목적지, '왕의 궁'이라는 뜻의 빨라스 데 레이Palas de Rei에 도착하자 그 숫자는 더 줄어있었다. 이제 69km 정도만 더 가면 까미노 프랑세스 전체 일정이 완성된다. 숙소에 도착해 남은 일정을 고민했다. 나는 더 천천히 걸어서 크리스마스이브에 산띠아고에 도착할 계획을 세웠다.

근처 레스토랑에서 저녁을 먹으며 한국 뉴스를 확인하다가 선거 결과를 봤는데, 정말 마음에 들지 않는 사람이 당선된 것을 보고 화가 나서 와인을 더 퍼마시며 혼자 욕을 했다. 아, 한국 가지 말까? 투표도 안 해놓고 이런 생각을 하다니 참 나....... 화내려면 내가 할 도리는 다하고 화를 내야지, 하며 나를 나무랐다. 정치적으로 암울한 밤이었다.

42. 빨라스 데 레이 > 멜리데Melide : 15.5km

오늘 날씨는 오랜만에 맑게 시작해서 흐리다가 저녁에 비가 살짝 왔다. 안내 책자에는 오늘 30km를 걸어 아르수아까지 가라고 되어 있었으나, 나는 이 일정을 이틀에 나눠서 걷기로 마음먹었다. 빨라스 데 레이의 작은 시내와 도로를 지나 좁은 산길로 들어섰다. 처음엔 숲길이 어색하더니 이젠 발과 몸이 편안해진다. 시골 마을의 도보 길을 다시 걷다 보니 까사노바Casanova라는 마을 표지가 보인다. 이 마을은 어쩌다가 이탈리아의 유명한 바람둥이의 이름이 되었는지 궁금해졌다. 언덕길에서 내려오는데 이제까지 만난 적이 없는 소녀 순례자 두 명이 보였다. 청소년 같았다. 한 명은 양 갈래로 길게 땋은 금발 머리, 다른 한 명은 곱슬곱슬한 빨강 머리다. 겨우 15~16살쯤 되어 보였는데, 근처에 같이 걷는 어른은 없는 것 같았다.

오늘의 목적지 멜리데Melide에는 오후 1시 반이 되어서 도착했다. 조금 있으니 아까 길에서 본 소녀 두 명이 내가 있는 공립 알베르게로 들어왔다. 캐나다에서 왔다는 두 소녀는 서로를 애틋하게 챙기는 듯했는데 보호자도 없이 둘이서 걷는 게 신기하면서도 걱정이 됐다. 나는 일찍 숙소에 도착해서 여유가 생기자 입은 옷만 빼고 땀에 전 재킷까지 몽땅 빨아 버렸다. 와인을 마시며 빨래를 다 돌리고 부족한 비타민을 채우기 위해 토마토와 양상추, 치즈를 잔뜩 넣은 샐러드를 만들어 저녁으로 먹었다. 캐나다 소녀들이 까미노를 걷는 사연이 궁금했으나 내 호기심으로 그들을 불편하게 하고 싶지는 않았다. 그들은 내일 공항으로 가서 자기네 나라로 돌아간다고만 했다. 오늘은 여유로운 마음에 술을 많이 마신 탓에 밤하늘의 별들을 잠시 보다가 일찍 잠자리에 들었다.

43. 멜리데 > 아르수아Arzúa: 15km

어젯밤 일찍 잠든 탓에 오늘은 아침 일찍 눈이 떠졌다. 조용히 일어나 화장실에서 양치하고 있는데 어제 그 캐나다 소녀 중 더 어린 친구가 공포영화 '링'의 사다코처럼 바닥을 기어서 화장실로 오고 있다. 깜짝 놀랐다. 무슨 일이냐고 하면서 달려가 부축하니 아침부터 걸을 수가 없단다. 화장실은 가고 싶은데 걸을 수는 없고, 그래서 기어왔던 것이었다. 부축해서 일을 보게 해주고 다른 친구에게 이게 무슨 일이냐고 물으니 어젯밤부터 그 친구가 다리가 아프다고 했단다. 그래서 그들은 지금 공항으로 가서 바로 캐나다로 돌아갈 거라고 한다. 서둘러 호스피탈레로를 불렀다. 호스피탈레로가 와서 택시를 부르고 두 소녀를 태워 공항까지 가는 것을 배웅했다. 어젯밤에 좀 더 친절하게 말을 걸었어야 했나....... 공항이 아니라 병원부터

가야 하는 거 아닌가? 걱정도 많이 되고, 저 지경이 될 때까지 아픈 시늉 한 번 하지 않던 소녀가 너무 안쓰러웠다. 나 혼자 알베르게의 침대들을 정리하고 나왔다. 소녀들이 무사히 가족에게 돌아가기를 기도했다.
오늘에서야 맑은 갈리시아의 날씨를 느낄 수 있었다. 걸어가는 길에 멀리 비행기가 지나가는 것이 보인다. 소녀들이 비행기는 잘 탔을까?

오늘도 15km만 걸을 거라 여유롭게 걸으며 경치 구경을 충분히 했다. 숲의 요정이 나올 것처럼 마법 같은 분위기를 자아내는 숲길로 접어들었다. 조그만 개울물에 튼튼해 보이는 돌을 앙증맞게 잘 배치한 징검다리도 건넜다. 숲길을 지나니 풀이 가득한 전원 풍경이 밝은 햇빛 아래 평화롭게 펼쳐졌다.
작은 마을을 지날 때 갈리시아 지역에서 유독 자주 보이는 구조물이 또 보였다. 오레오Hórreo라고 부르는 건물인데, 바닥에서 여러 개의 돌기둥으로 받쳐 올린 작은 집 모양이다. 처음에는 대형 닭장인가 싶었는데, 닭장치고는 벽과 지붕이 나무나 돌로 아주 튼튼하게 잘 지어져 있었다. 다른 스페인 순례자가 지나가면서 이 지역의 곡물 창고라고 알려주었다. 지상에서 띄워놓아서 습기와 동물들로부터 곡물을 지킬 수 있으며, 집이 부유할수록 이 오레오의 크기도 크단다. 어떤 오레오는 좁은 길 위에 육교처럼 가로로 지어져서 그 아래를 걸으니 마치 터널을 지나는 기분이었다.

유유자적하게 걷다가 규모가 꽤 있는 도시 아르수아Arzúa에 도착했다. 더 걸어갈까 고민했지만 크리스마스이브에 산띠아고에 도착하려면 오늘 여기서 묵는 게 낫겠다는 생각이 들었다. 까미노가 끝나가는 것이 아쉬운 마음도 있었다. 이 지역 공립 알베르게에 도착해 짐을 풀어놓고 가까운 식당에서 늦은 점심을 먹기로 했다. 다행히 시에스타 시간에도 닫지 않는 곳이 있어서 해장도 할 겸 야채수프Sopa de Verdura와 빵을 시켜 먹었다. 야채수프가 한 사발이나 나와서 깜짝 놀랐다. 맛도 일품인데 가격이 3유로밖에 하지 않았다. 며칠 전 그 불친절한 식당에서 먹은 깔라마레스의 반값도 되지 않았다. 그 집이 나에게 바가지를 씌운 게 맞는 것 같다. 늦은 점심을 먹고 씻고 쉬고 있으니 속속 다른 순례자들이 도착한다. 그들은 내가 이틀 전 지나온 빨라스 데 레이에서부터 여기까지 30km를 하루만에 걸어오는 길이었다. 나는 천천히 가는 게 좋았다. 겨울 시기의 한적함도 좋다.

저녁이 되자 비가 오기 시작하더니 도시에 안개가 자욱하게 내려앉았다. 지금만 비가 오고 내일은 비가 오지 않길....... 근처 교회를 구경하고 저녁으로 뽈뽀를 먹고 숙소에 돌아왔다. 산띠아고까지 이제 이틀 남았다. 아, 긴장된다. 근처 교회의 종소리가 맑고 은은하게 들려온다.

44. 아르수아 > 빼드로우소Pedrouzo : 20km

날씨가 맑았다. 오늘 길은 평탄하고 평화로운 편이었지만 작은 마을을 구석구석 돌아가게 하는 길도 있었다. 어제 저녁 숙소에 도착한 순례자들은 부지런한 사람들이어서 일찍 출발했다. 산띠아고가 가까워지니 더욱 속도를 내는 듯했다. 나는 반대로 속도를 더 줄이고 있었다. 그래서인지 오늘 일정 중, 길에서 만난 순례자는 거의 없었다. 내가 만난 건 오로지 점심을 먹을 때 내 근처로 달려온 고양이 뿐이었다.

작은 마을을 지나는데 순례자의 무덤이 보인다. 내가 맨 처음 피레네를 걸을 때 본 브라질 순례자의 무덤과 빰쁠로나를 빠져나올 때 본 젊은 벨기에 순례자의 무덤이 떠올랐다. 그 이후로도 종종 순례자의 무덤과 마주쳤었다. 그런데 산띠아고에 도착하려면 하루 남짓 남은 곳에서 보게 된 순례자의 무덤은 유독 안타깝게 느껴졌다. 조금만 더 가면 산띠아고인데 여기에서 생을 마감하다니…….

길에서 생을 마감하는 것에 관한 생각에 잠겨 걷는데, 벽에 적어 놓은 한국인 순례자의 낙서가 보였다. "천천히 걸으세요. 안 보이던 게 보여요. - 수민"이라고 적혀있었다. 나랑 비슷한 사람이 먼저 지나갔다고 생각했다. 걷다 보면 사랑 고백 낙서를 보기도 하고, 자동차 도로 바닥에 아주 크게 "천천히 가! 씨*!Despacio! Coño!"이라고 쓴 욕을 보기도 한다.

오늘은 길에서 온 삶을 다 바친 흔적과 가벼운 생각의 조각들까지 나에게 말을 걸어온다. 인생의 축소판이라고 이야기하는 까미노 데 산띠아고가 막바지를 향해 간다.

어느새 빼드로우소Pedrouzo에 도착했다. 아르까-빼드로우소 알베르게라고 적힌 이 숙소를 관리하는 중년의 여인은 동네 주민이었다. 내가 도착했을 때, 62세라는 스페인 여성 순례자가 이미 등록을 하고 있었는데 둘의 수다가 길다. 스페인 사람들의 수다는 한 시간을 훌쩍 넘기기 일쑤다. 그 타이밍에 내가 딱 도착하는 바람에 두 사람의 수다 내용을 한참 동안 듣게 되었다. 호스피탈레라인 동네 주민은 요새 젊은이들이 불쌍하단다. 요새 애들은 즐거울 일이 별로 없어 보인다는 거다. 자기에게 아들이 하나 있는데 집에서 게임을 하거나 핸드폰만 본다는 거다. 자기들 세대는 그 나이 때 걱정이란 것을 모르고 줄곧 친구들과 밖으로 놀러 다니며 재미있게 지냈는데, 요즘 세대는 그런 즐거움이 없단다. 자식 세대를 걱정하는 어른의 따뜻함이 느껴졌다.

두 사람의 수다가 끝난 뒤에야 자리를 배정받았다. 해가 지기 전, 건장한 체격의 네덜란드인 2명과 산띠아고 지역의 스페인 여자 2명, 프랑스 남자 2명이 도착했다. 이름을 레나라고 밝힌 네덜란드 사람은 시원시원한 성격으로 단숨에 까미노를 걷는 느낌이었다. 직업이 카레이서란다. 내 평생 카레이서는 처음 만났는데 그녀는 정말 '터프' 그 자체였다. 그리고! 말라가의 '깡' 있는 여인 로사를 다시 만났다. 세상에 반가워라! 로사는 브리짓이라는 프랑스 여인과 함께 도착했다. 반가움에 인사를 하고 우리가 헤어졌던 루이뗄란의 알베르게 이야기를 했다. 자기는 며칠 비가 많이 와서 걷지 않았단다. 나는 그다음 날 비를 엄청나게 맞으며 오 세브레이로에 갔다고 하니, 그 세찬 비를 맞고 가다니 미쳤냐는 둥 지난 이야기를 하며 회포를 풀었다. 수다스러운 밤이 지나간다. 이제, 산띠아고까지 20km 남았다.

오레오, 갈리시아 지방에서 자주 볼 수 있는 곡물 저장고

45. 뻬드로우소
> 몬떼 도 고소Monte do Gozo : 15.5km

나의 까미노 바이블이 된 안내 책자에서 두 가지 선택지를 알려줬다. 하루 만에 걸어 산띠아고에 바로 들어갈 것인지, 아니면 산띠아고 5km 전의 마을 몬떼 도 고소Monte do Gozo[1]에 도착해 하루를 보내고 다음 날 아침 일찍 출발해 산띠아고 대성당의 순례자 미사에 바로 참석할 것인지 결정해야 한다고 말이다. 나는 후자를 선택했다. 크리스마스이브의 순례자 미사가 훨씬 감동적일 거 같아서다. 게다가 오늘은 일요일인데, 일요일 저녁에는 대부분의 상점과 레스토랑이 문을 닫기 때문에 더 활기찬 시기에 산띠아고에 도착하고 싶었다.

1) '기쁨의 언덕'이라는 뜻

까미노의 여정답게 오늘 길은 녹록지 않았다. 점심때는 식당이나 바를 찾으려 했지만, 일요일이라 좀처럼 문을 연 곳이 없었다. 식당에서 식사를 해결하려던 브리짓과 로사는 먹을 게 하나도 없었다. 심지어 물도 다 떨어져 갔다. 그래서 내가 가지고 있던 과일과 과자를 셋이 같이 나눠 먹었다. 로사는 스페인어만 하고 브리짓은 프랑스어만 하는데도 둘은 대화가 잘 통했다. 신기했다. 둘은 걷는 속도도 비슷해서 멋진 까미노 커플이었다. 잠시 쉬고 다시 걷는데 오르락내리락 길이 많았다. 갈리시아 방송국을 지나 걸을 때쯤엔 길이 위아래로 춤을 추는 줄 알았다. 산 마르코스라는 곳이 나오자 겨우 커피를 한 잔 마실 수 있었다. 이 마을 끝에 공원 같은 언덕이 보였는데, 바로 몬떼 도 고소였다. 이 공원에는 십자가 아래쪽에 순례자의 모습을 조각한 대형 상징물이 있었다. 언덕에 올라서니 산띠아고 도시 전체가 내려다보였다. 멀리 산띠아고 데 꼼뽀스뗄라 대성당의 종탑이 작게 보인다. 가슴이 두근거렸다. 드디어 거의 다 왔다! 망원경을 갖고 있던 아르헨티나 사람이 나에게 자세히 보라며 망원경을 건네준다. 망원경

끝에 대성당의 종탑이 자세히 보인다. 웃음밖에 나지 않는다. 날씨도 매우 좋아서 대도시 산띠아고의 풍경이 더 멋지게 보였다.

이 언덕에서 조금 내려가니 여러 개의 동으로 된 대형 숙박 시설이 나온다. 몇백 명은 수용할 수 있는 시설이다. 로사, 브리짓과 함께 여기에 묵게 되었다. 어제 본 줄리앙 외에도 몇 명이 더 도착했다. 장을 봐서 함께 저녁을 해 먹고 까미노를 시작하게 된 로사의 이야기를 들었다. 스페인 남부의 도시 말라가에서 작은 가게를 하는 그녀는 침대에 앉아 TV만 보고 있는 자신이 한심하게 느껴지던 날, 산띠아고에 가야겠다는 결심을 하고 걷기 시작했다고 한다. 마음만 먹으면 바로 까미노를 걸을 수 있는 스페인 사람들이 부러웠다. 프랑스의 보르도에서 온 브리짓은 나이가 많았는데 무릎이 퉁퉁 부은 상태로 걷고 있었다. 브리짓은 자기가 만난 한국인 순례자들은 다 좋았다고 얘기해줬다. 어떤 한국인 남성은 퉁퉁 부은 그녀의 다리를 매일 저녁 마사지해줬다는 거다. 설명하는 생김새와 나이대로 봐선 송 사장님 같았다. 내일 드디어 산띠아고에 도착하니 브리짓의 고통과 투지도 빛을 보겠구나 싶었다.

내일 산띠아고 대성당에 도착할 생각에 밤이 되어도 설레었다. 나는 그 성당 앞에서 어떤 느낌이 들까? 울게 될까? 웃게 될까? 드디어 마지막 까미노 알베르게의 밤이다.

몬떼 도 고소에서 산띠아고를 바라본다

46. 몬떼 도 고소

> 산띠아고 데 꼼뽀스뗄라Santiago de Compostela : 5km

마침내, 산띠아고 데 꼼뽀스뗄라에 도착하는 날이다. 거의 잠을 설쳤다.

아침을 먹고 로사, 브리짓과 함께 일찍 산띠아고로 출발했다. 겨울 아침이라 해가 뜨지 않아 밖은 아직 어두웠다. 순례자 학위를 위한 산띠아고 대학의 도장을 받고 가려고 내가 조금 더 빨리 걸어갔다.

대도시답게 산띠아고 시내를 한참 걸어 들어가야 했다. 구시가지인 센트로에 도착하는 길에 이틀 전 만난 멋진 카레이서 여인 레나를 만났다. 그녀가 큰 소리로 "해냈구나!You made it!"라며 큰 소리로 축하한다고 말하면서 두 팔로 나를 잡고 흔들었다. 그래, 나는 지금 해내고 있어! 이제 모든 순례자의 최종 목적지인 산띠아고 대성당에 금방 도착할 수 있을 것이다. 산띠아고 대학을 찾기 위해 오래된 건물들로 둘러싸인 작은 광장에서 잠깐 길을 헤맸다. 현지인에게 물어 대학 건물 앞에 도착했으나 크리스마스이브라 문이 닫혀 있었다.

이제 거침없이 순례자의 최종 목적지 산띠아고 데 꼼뽀스뗄라 대성당 앞으로 성큼성큼 걸어갔다. 사진으로만 보던 순례자의 계단을 내려가니 성당 앞의 넓은 광장이 보인다. 심장이 두근거렸다. 나는 가방을 멘 채로 계단을 올라 대성당 안으로 들어갔다. 누군가가 가방은 못 들고 들어간다고 한 거 같은데 아무도 나에게 뭐라고 하진 않았다. 오전 미사가 진행되고 있었다. 성당의 맨 안쪽으로 조용히 걸어 들어가 황금과 각종 보석으로 장식된 산띠아고(성 야고보)상을 만지며 감사 인사를 했다. 무사히 도착하게 해주셔서 정말 감사합니다.

800여km를 걸어 마침내 나는 산띠아고에 도착했다. 나도 모르게 가슴에서 울컥하는 마음이 올라왔다. 울지 않으려고 하다보니 눈에는 눈물이 맺히는데 마음은 기뻤다. 무사히 산띠아고에 도착해서 산띠아고 성인을 뵈옵니다.

감사합니다.

12시 순례자 미사가 시작되기 전에 산띠아고의 순례자 사무실에 갔다. 오밀조밀한 순례자 사무실에서 내 순례자 여권의 도장들을 꼼꼼히 확인하는 동안 설문 종이에 내 정보를 적었다. 설문지에는 어떤 이유로 까미노 데 산띠아고를 시작했는지, 이동 수단은 무엇이었는지 등을 작성하게 되어있었다. 종교적, 영적, 스포츠, 기타의 이유라는 항목 중에 나는 영적인 이유라고 표시했다. 이동 수단은 도보, 자전거, 승마, 자동차 또는 버스 중에 도보 항목에 힘을 주어 표시했다. 순례자 사무소 직원은 순례자 증서인 꼼뽀스뗄라Compostela에 적을 한국 이름 영문과 영어식 이름을 물어보았다. 꼼뽀스뗄라는 전통적으로 라틴어로 작성되어 있어서 내 이름을 라틴어로 적어주기 위해서였다. 내가 'Estrella'라고 적으니 내 이름을 'Stella'라는 라틴어로 적어주었다. 드디어 순례자 증서를 받았다. 내 평생 처음 받은 라틴어로 된 증서였다.

라 꼼뽀스뗄라La Compostela(순례자 증서)

복되신 사도, 성 야고보의 제단을 봉인 관리하는 꼼뽀스뗄라의 거룩한 사도직 수도회의장은 온 세상의 수호성인이자 순례자들의 수호성인인 사도 산띠아고의 교회에 와서 서약을 하고 헌신하는 모든 이들과 이 문서를 검토할 수 있는 모든 사람에게 알립니다. 김영미, 스텔라 김은 경건함으로 이 가장 거룩한 성전을 신실하게 방문하였습니다.
이를 인정하여 나는 동일한 거룩한 교회의 인장을 찍은 이 문서를 수여합니다.

꼼뽀스뗄라에서 12월 24일

순례자 사무실에서 알베르게 안내를 받고 부츠 앤 루츠 Boots and Roots라는 알베르게로 향했다. 가는 길에 어린 왕자의 어른 버전 독일인 마티아스를 만났다. 그는 크리스마스 때가 되면 산띠아고로 온다고 했었다. 멋진 크리스마스이브다. 왜 매번 이 시기에 산띠아고로 오는지 이해가 되었다.

숙소에 도착해 짐을 풀고 산띠아고 대성당의 순례자를 위한 12시 미사에 참석했다. 여기서 현영 씨와 주희 씨를 만났다. 순례자를 위한 미사 때는 전날과 12시 미사 전에 도착한 순례자들의 이름을 신부님이 불러준다. 명단은 순례자 증서를 주는 순례자 사무소에서 그날 미사를 집전하는 신부님께 전달한다. 로사와 브리짓도 옆에 앉았다. 그런데 로사가 성당에는 왜 죽은 사람의 모습을 정면에 걸어 놓았는지 모르겠다며 이야기를 시작한다. 신부님이 등장하자 성찬용 와인을 많이 마시는지 신부님의 코가 너무 빨간 거 아니냐는 둥 조잘조잘 떠들었다. 안 그래도 나이가 지긋한 신부님의 발음이 부정확해서 오늘 내 이름을 알아듣기는 힘들겠다고 생각하고 있었는데, 교회에 대한 충격적인 비판을 서슴지 않는 스페인 순례자라니! 신부님은 미사 전에 "오늘 산띠아고에 도착한 순례자는……"이라는 말로 시작해 여러 사람의 이름을 불렀으나 내 이름은 알아들을 수가 없었다. 뒤에서 현영 씨가 "우리 이름 지나갔어요!"라고 할 때까지 긴장한 채로 귀를 기울이고 있었는데도 말이다.

좌충우돌 순례자 미사가 끝나자 그날의 순례자들은 서로 부둥켜안고 감동의 순간을 함께 나누었다. 주희 씨는 끝내 울음을 터뜨렸다. 까미노에서 보던 순례자들은 모두의 목적지였던 산띠아고 대성당 안에서 인사를 나누며 서로 축하해줬다. 국적도, 살아온 배경도, 나이도, 피부색도 천차만별인데, 같은 길을 걸어서 도착한 서로에게 보내는 뜨거운 축하와 격려는 정말 감동 그 자체였다. 지나온 모든 과정을 축하받는 순간, 다시 떠올리는 지금도 속에서 따뜻한 기운이 솟아오를 정도로 내 인생의 아름다운 순간이다.

순례자 미사를 마치고 단체로 점심을 먹으러 갔다. 그 식당은 순례자 메뉴로 유명한 곳이었는데 점심시간에 가니 쌀밥 잘 먹던 일본인 이나와 투덜쟁이 프랑스 할아버지도, 프랑스인 부부도 있었다. 까미노의 길과 숙소에서 보던 이들을 다시 만나니 무척 반가웠다.
포기하지 않고 걸으면 이렇게 모두가 도착하기를 원하던 곳에서 다 만나는구나. 우리 인생도 그렇게 되겠지? 힘들면 쉬어가고 아름다운 자연으로부터 위안을 얻고, 먹고 자고 씻고 걷고의 단순한 반복으로 복잡한 마음을 덜어내는 치유의 길을 포기하지 않는다면, 원하는 곳에서 반가운 사람들과 웃는 순간이 오게 된다.

식사 후에는 중세 분위기가 물씬 나는 종교의 도시 산띠아고 중심가를 구경하며 다녔다.
숙소에 돌아오니 사람들끼리 크리스마스이브 파티를 준비하고 있었다. 호주에서 유학 중이라는 한국인 아그네스와 함께 장을 보고 다른 사람들과도 저녁 음식을 만들었다. 오두막 같은 공간의 식탁에 테이블보도 구해서 깔고 초도 켜고 그릴에 숯불을 지펴 고기도 구웠다. 오늘 처음 도착한 공간이었지만 크리스마스에 모인 가족이 된 듯 와인과 함께 여럿이 준비한 저녁을 먹고 프랑스인 아저씨의 인생에 관한 설교도 들었다. 아픈 다리로 무사히 순례를 다 마친 브리짓의 눈에 눈물이 그렁그렁했다. 그녀는 내일 바로 비행기를 타고 보르도의 가족 곁으로 간다고 했다.
즐겁게 식사를 마치고 몇몇이 크리스마스이브의 자정 미

사를 함께 보러 가기로 했다. 크리스마스이브의 자정 미사는 산띠아고 대성당의 연례행사로 일 년 중 가장 큰 미사이기도 해서 스페인 전역에 생중계되는 미사였다.

초대형 향로의 향이 온 성당 내부를 가득 채웠다. 중세 시대에는 제대로 씻지 않고 몇 달을 걸어온 순례자들의 냄새를 없애고 소독을 하기 위해 향로를 엄청나게 피웠단다. 오늘은 크리스마스이브의 자정 미사라 내부가 부옇게 될 정도로 향로를 가득 피웠다. 어제 밤잠을 설치고 온종일 이리저리 왔다 갔다 해서인지, 아니면 목에 걸고 있는 불교의 옴 자를 새긴 이교도의 표식을 지닌 내가 마음에 안 들었는지, 나는 식은땀을 흘리며 그 자리에 주저앉았다. 신기한 향로의 경험이었다. 자정 미사를 마치고 숙소에 돌아와 마침내 내 까미노를 완성한 기쁨을 느끼며 잠을 청했다. 물론 늘 빠지지 않는 숙소의 코골이 오케스트라 소리를 들으며 말이다.

무사히 산띠아고에 오게 되어 정말 감사합니다.

산띠아고 대성당

산띠아고 성인

산띠아고 대성당 내부

산띠아고 대성당의 보따푸메이로

까미노 프랑세스를 마치며

크리스마스 날, 세상에서 가장 큰 향로를 성인 여러 명이 줄을 당겨 성당의 천장까지 흔드는 보따푸메이로Botafumeiro를 보았다. 그리고 그다음 날 산띠아고 대학에서 도장을 받아 순례자 학위용 크리덴셜을 완성했다. 또 남은 숙제는 산띠아고 우체국에서 내 소포를 찾는 것이었다. 정말 고맙게도 산띠아고 우체국은 늦게 도착한 순례자의 소포를 잘 보관해주고 있었다.

까미노 프랑세스 루트를 다 완성한 다음에는 걷는 것을 멈추고 '세상의 끝'이라는 이름의 피니스떼레Finisterre에 버스를 타고 갔다. 걸어가면 며칠이 걸렸을 그 길을 버스로 3시간 만에 도착했다. 피니스떼레의 순례자 사무실에 도착하니 산띠아고 대성당에서 만난 주희 씨가 있었다. 피니스떼레에서 산띠아고까지 구간의 순례자 여권을 만들고, 공립 알베르게를 찾았지만 문이 닫혀 있었다. 문이 열리길 한참 기다리는데 동네 할머니가 오시더니 자기 집에서 묵으면 숙박비도 싸게 해주고 식사도 포함이라고 호객 행위를 한다. 스페인 가정의 모습도 궁금하고 할머니의 소소한 소득에도 보탬이 될 테니 주희 씨와 함께 그 집에 묵기로 했다.

옛날부터 산띠아고까지 걸어간 순례자들은 피니스떼레까지 더 걸어가서 바닷물로 그동안의 순례로 지친 몸을 씻고 땅끝 절벽에 가서 오래된 짐을 태우는 풍습이 있었다고 한다. 하지만 지금은 환경 보호를 위해 소각 행위가 금지되어 있었다.

나는 산띠아고 우체국에 맡겨뒀다가 찾은 짐에서 수영복을 꺼내 입고 대서양에 몸을 담갔다. 겨울에 수영이라니 미친 짓 같지만 안 될 건 또 뭔가 하는 마음으로 수영을 하고, 집주인 할머니가 정성스레 만들어주신 잔뼈가 많은 생선 수프를 맛나게 먹었다.

내가 피니스떼레에 온 것은 대서양과 맞닿은 땅끝의 피니스떼레 등대Faro de Finisterre에 가기 위해서였다. 한국에서 제주도 최남단 마라도에 간 적이 있다. 남쪽의 끝 마라도에서 대한민국 최남단 기념비를 보았을 때의 경험을 떠올렸다. 유럽인들이 세상의 끝이라고 부르던 곳은 어떤 모습일지 궁금했다.
다음 날, 아침 일찍 일어나 피니스떼레의 등대로 향했다. 등산은 이제 끝난 줄 알았는데 가파른 오르막길을 올랐다. 마침내 세상의 끝이라는 00.0km 표지석이 보였다. 그리고 조금 더 들어가니 등대가 있었다. 산띠아고를 지나 세상의 끝까지 와보았다. 바다와 맞닿은 벼랑 중간중간에 누군지 모르지만, 물건을 태운 흔적들이 보였다. 아직도 오래된 풍습을 행하는 누군가가 있구나 싶었다. 나는 물건을 태우는 대신, 론세스바예스부터 나와 함께한 고마운 간달프 지팡이를 등대에 남겨두고 왔다. 누군가 필요하다면 쓰겠지....... 그동안 내 무릎을 잘 보호해주고 나를 지지해줘서 고마웠어, 지팡이야!

이제 진짜 내 까미노가 끝난 기분이었다. 나는 버스를 타고 산띠아고로 돌아가서 밤차를 타고 따뜻한 도시를 여행하기로 마음먹었다.

까미노 프랑세스를 끝내고 향한 오렌지나무 가득한 스페인의 남부 도시 세비야. 나는 그곳과 사랑에 빠졌다. 이후 한국으로 돌아와 오랜만에 내가 졸업한 대학에 들러 순례자 학위용 여권에 마지막 대학 도장을 찍었다. 이것을 스캔해서 순례자 학위를 발급하는 빰쁠로나의 사무소에 메일로 보냈다. 한 달 반이 지나 스페인에서 등기우편이 도착했는데, 그 안에는 라틴어로 된 순례자 학위증서가 있었다. 나는 전 세계에서 3만 7백5십2번째로 이 순례자 학위를 받았다. 내 인생의 가보가 하나 늘어난 셈이다.

그 후로도 나는 한국과 세비야를 몇 번 오가며 지냈다. 급기야 세비야에서 시작하는 다른 까미노 루트인 은의 길Via de la Plata - 1,006km까지 다 걷게 되었다.

이 길의 이야기들을 정리하려고 책 만드는 수업을 듣다가 “까미노 바이러스”라는 마음의 안내서를 썼다. 그리고 지금에서야 까미노 프랑세스의 이야기를 다 정리했다. 지금은 해안가를 따라 걷는 북쪽 길, 까미노 델 노르떼Camino del Norte를 걸을 생각을 하고 있다. 생각이 복잡해질 때면 까미노의 순간을 떠올린다. 육체적으로 쉽지 않은 순간도 있지만, 나를 더 자세히 이해하고 자신을 위로하는 법을 배우게 되는 이 길의 매력에 빠지면 헤어 나오기 쉽지 않다. 그럴 때마다 까미노의 인사말을 건네 본다.

당신의 인생에도 부엔 까미노Buen Camino!

BUEN CAMINO

어느 날, 순례자가 되다
까미노 프랑세스
Camino Francés

초판 1쇄 발행 2023년 9월 13일
초판 2쇄 발행 2023년 10월 20일

글·사진 김영미
펴낸이 김영미
펴낸곳 21세기 여성_독립출판사
디자인 젤뚜르다
교정·교열 김혜원
이메일 femme21c@naver.com
홈페이지 https://21cwoman.kr
인스타그램 @caminovirus, @21c_woman
ISBN 979-11-967046-8-1

∞ 이 책은 "2023년 부산광역시·부산정보산업진흥원 출판 제작 지원작"으로 선정되어 사업비 지원을 받아 제작하였습니다.

∞ 책값은 뒤표지에 있습니다.

21cwoman.kr